JN000368

NOBLE
REINCARNATION
貴族転生
～恵まれた生まれから最強の力を得る～
3
三木なずな　イラスト kyo

ありがたき幸せ。

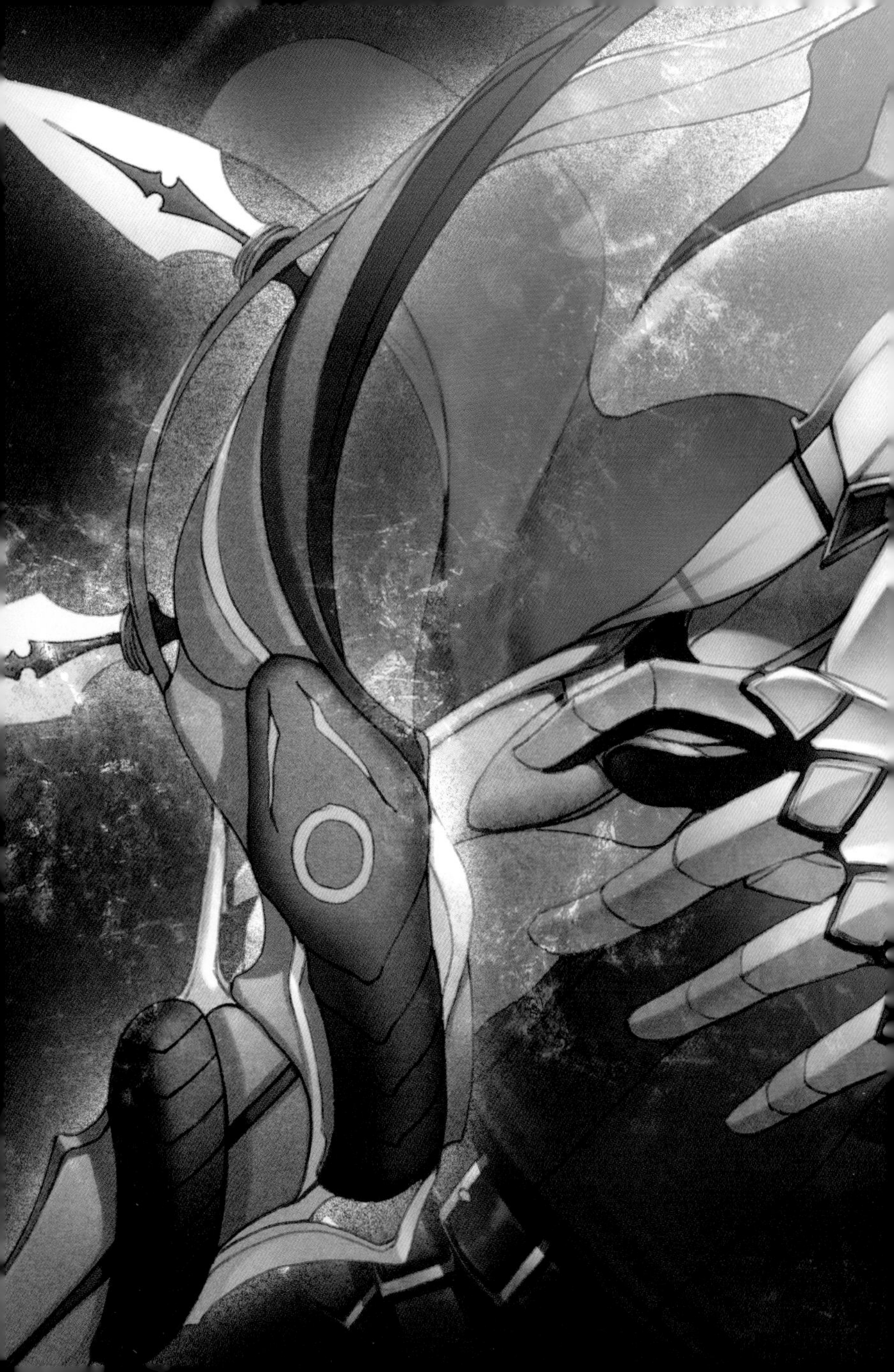

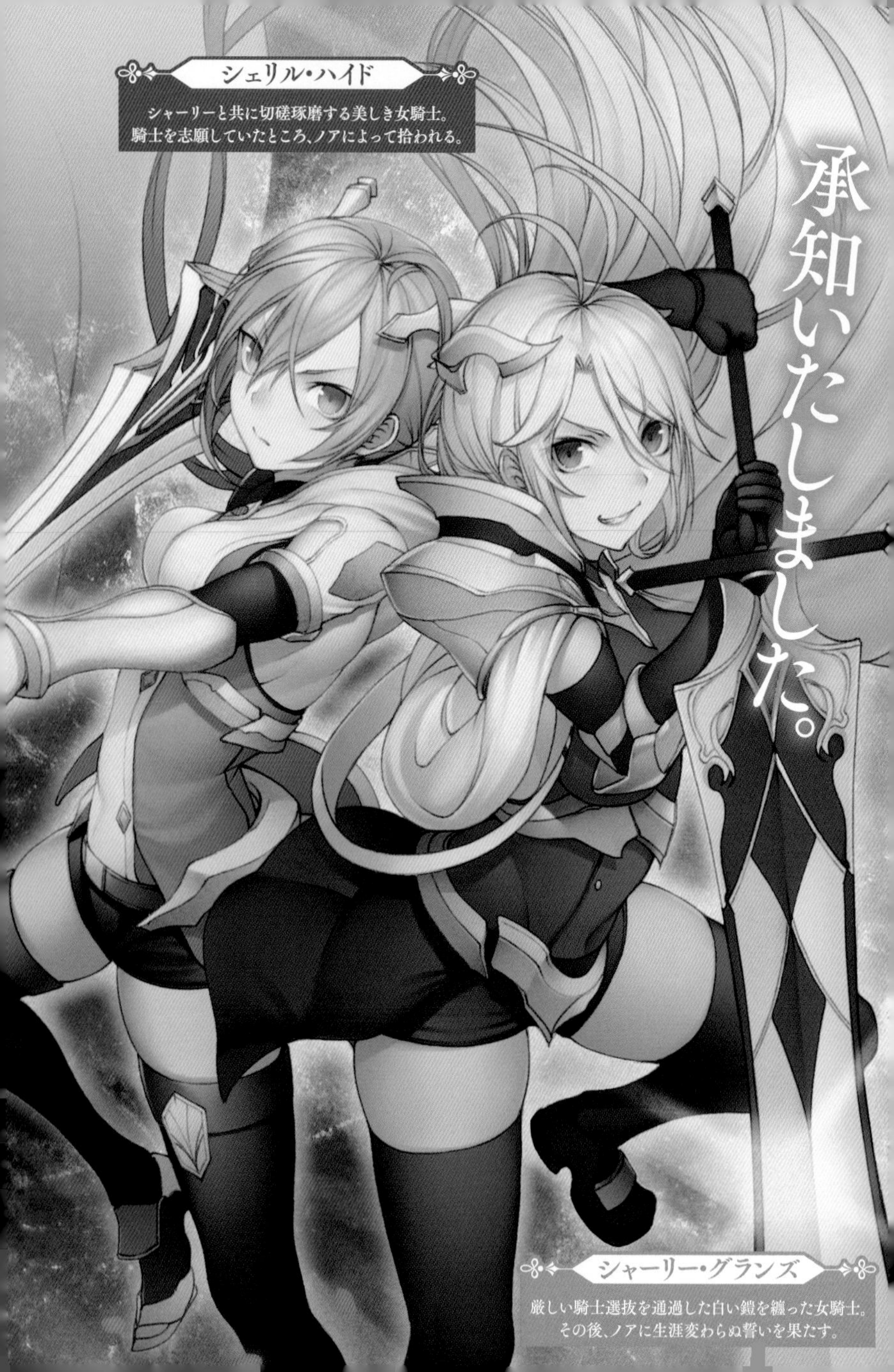
シェリル・ハイド
シャーリーと共に切磋琢磨する美しき女騎士。
騎士を志願していたところ、ノアによって拾われる。
承知いたしました。
シャーリー・グランズ
厳しい騎士選抜を通過した白い鎧を纏った女騎士。
その後、ノアに生涯変わらぬ誓いを果たす。

二人同時にで良い。構わん、来い。

俺の正妻、
オードリーが
初子を身籠った。

めでたいことだ！
ちょうどいい機会だ、
お前らを労うための
ボーナスを出そうと思ってな。
オードリー
雷親王インドラの孫娘にして、ノアの正室。
ノアの治世のために、正妻として内裏・後宮を
上手く収めようと努力している。

CONTENTS

NOBLE
REINCARNATION

貴族転生

NOBLE REINCARNATION

~恵まれた生まれから最強の力を得る~

3

三木なずな
イラスト Kyo

Story by Nazuna Miki
Illustration by kyo

50 親王の話術

NOBLE REINCARNATION

州都ニシルの郊外。

百人近くの兵士に守られて、水の輸送隊が陛下の避暑地に向かっていく。

水を運ぶ荷馬車とは別に、ヘンリー兄上が乗ってる馬車が並走している。

俺《おれ》は更にその横で馬に乗っている。

兄上が水を運ぶのを、途中まで見送るためだ。

「ふぅむ」

「どうしたんですか兄上」

「ノアは、馬に乗ってる姿が様になるな」

「そうですか？」

「ああ、見ていて惚《ほ》れ惚《ぼ》れするくらいだ。普段から乗ってるのか？」

「それなりには。帝国は『戦士の国』。兄上だって、馬くらいは乗れなきゃ、と子供の頃《ころ》から躾《しつけ》されたでしょうに」

「それでも乗らない人間はとことん乗らないのだよ。私もオスカーも、馬は苦手だ」

「オスカー兄上も？」

そうなのか……と思ったが。

オスカーは一言でいうと「優男《やさおとこ》」という感じの人間だから。

乗馬が苦手だ、と言われれば納得かもしれない。

兄上と色々話していたが、ふと、水を護衛してる兵士達がざわつき始めた。

「どうした」

運送の責任者である、兄上が部下に聞く。

部下の兵士は顔をしかめながら答えた。

「申し上げます。南より砂煙が。おそらくは……」

兄上と俺は南を同時に向いた。

地平の向こうから、砂埃《すなぼこり》を巻き起こしながら一団が迫ってくる。

それは一直線にこっちに向かってきて、あっという間に隊列を包囲した。

「盗賊か」

兄上の口調が変わった。

顔も強張《こわば》っていて、眉間は紙を挟んでも落とさないくらい皺《しわ》が寄っている。

「まさかこんな所で」

「任せてください、兄上」

俺はそう言って、馬から飛び降りた。

止まった隊列を包囲する数百人の盗賊達、それを指揮してるリーダーらしき男に近づいていく。

「お前たち、何のつもりだ」

「へへ、こんなに仰々しく護衛してるんだ、さぞや値打ちの物を運んでるんだろうな」

「……」

俺は後ろを振り向いた。

確かに、陛下に届ける為に、護衛の兵士は普段の輸送隊よりも増やした。

それで誤解した、ということか。

振り向いた先にいるヘンリー兄上と目が合った。

俺たちは苦笑いし合った。

「大人しく積み荷を渡せば、命くらいは助けてやらんこともないぞ？　んん？」

男は持っているロングソードで、肩をとんとんと叩《たた》きながら、ニヤニヤする表情で言い放った。

俺はそいつの「勧告」を無視して、腕輪からレヴィアタンを引き抜いた。

水色の光を曳く魔剣。

抜いた瞬間、敵味方ともにそれに注目したのが分かる。

「なんだ？　やるのか？」

「――ふっ！」

一歩踏み込み、男の背後にいる三人の盗賊を一瞬で切り伏せた。

三人は何が起きたのか分からないって顔で、武器を手放して倒れ込んだ。

「……」

ぐるりと周りを見る。

あまりにも瞬時の出来事だったからか、敵味方ともに反応できていない。

「なっ！　て、てめえら！　やっちまえ！」

最初に我に返ったのは、盗賊のリーダーの男だった。

そいつが号令を掛けると、盗賊が一斉に俺に襲いかかってきた。

積み荷を奪うことも忘れて、俺に襲いかかってきた。

予想通り注意を引けた俺は、レヴィアタンを振るって、次々と盗賊を斬《き》り伏せた。

能力オールＳＳＳ、総理《ボーナス》タイムの無敵モード。

一人につき一斬で、次々と無力化していく。

三百人はいた盗賊を、全部斬り倒すのに三十分と掛からなかった。

全員倒した後、兵士に命じて、とりあえず縄で腕を縛りあげて、拘束する。

ヘンリー兄上は馬車から降りて、俺の横にやってきた。

「すごいな、ノア。まさか一人で全員倒してしまうとは」

「被害を出せば、陛下へお届けするのがそれだけ遅くなりますからね」

「うむ。それにしても見事な腕前だ」

頷《うなず》く兄上は俺を褒めちぎった。

俺は、縛られ両膝《ひざ》を無理やりつかされた男を見た。

男は肩からどくどくと血を流しながら、俺を睨《にら》んでいる。

それを少し見て、考えてから、男に聞く。

「お前、名前は？」

「ホワイトタイガーのジェリー・アイゼン様だ。覚えときな」

答えるジェリーは威勢が良かった。

「ジェリーか。お前、自分が何をしたのか分かってるのか？」

「はっ、こういう稼業をやってるから覚悟は出来てるわ。どうせ死刑とかなんだろ。そんなのを怯《おび》えるほどやわじゃねえぜ」

「いい覚悟だ、だが無意味だ」

「なに？」

「ところで、お前は盗賊をやって、何人殺した」

「はっ！　そんなことを聞いてどうする。罪を増やすつもりなら諦《あきら》めろ。どうせ死刑だ、殺すなら今すぐ殺せ！」

ジェリーは一気に言い放った。

その表情は、本当に死ぬことなど怖くないかのように見える顔だ。

……ふむ。

俺は少し考えてから、話題を変えた。

「この輸送隊は、陛下への献上物を運んでいる。つまり御用の品だ。いわば皇帝陛下の財産を奪おうとする人間はどうなると思う」

「だから――」

「最高で胴斬《どうざん》の刑までいくぞ」

「どう……ざん?」

聞き慣れない言葉だったからか、ジェリーは明らかに戸惑った。

「言葉通りだ、首じゃなくて、胴体を上下に真っ二つにする処刑法だ。心臓を避けて胴体を斬るとな、すぐには死なん。三十分くらいかけて、じっくり苦しみながら死んでいくのだ」

「……」

ポカーン、となってしまうジェリー。

「体を両断された痛みを三十分だ。そして徐々に体が動かなくなっていく、もがこうとしても、もがく力すら失っていく。でも痛みはずっと残る」

「……」

ジェリーは青ざめた、歯の根が合わなくて、ガクガクと震えだした。

「お前、これまで何人殺した」

「こ、殺しはやってねえ……」

一瞬で唇まで真っ白になって、震えた声で答えた。

「なんでだ?」

「昔……飢饉《ききん》にあったんだ。お代官様も何もしてくれなくてよ。気がついたらにっちもさっちもいかなくなって、こういう稼業に手を染めちまったのよ……」

「やってたのは不本意だってことか」

「そりゃ……そうだ。まともに働けるんなら、誰《だれ》だって好き好んでこんな稼業しちゃいねえよ……」

答えたジェリー、徐々に俯《うつむ》いていく。

その言葉は感情がこもっていた。

俺は少し間をおいて、真顔で聞いた。

「やり直す機会は欲しいか？」

「――っ！」

ジェリーは顔をパッと上げて、何が起きたのか分からない、信じられないって顔で俺を見つめてきた。

「や、やり直すって⁉」

俺はジェリーの周りを見た。

彼も部下も、同じような目で俺を見つめている。

「ただの盗賊なら、従軍刑というのにしてやれる」

法務親王大臣として、帝国法を思い出しながら話す。

別に盗賊に限ったものじゃない、ぎりぎり死罪に値する若者に処すための刑だ。

「文字通り軍にぶち込んで、辺境で戦わせる刑罰だ。そこで立てた戦功次第では、罪の帳消し、更に立身出世も不可能ではない」

「そ、そんなのがあるのか！」

目に光が戻るジェリー。俺の話に食いついてきた。

「手心は加えん――が、ちゃんと戦功を立てたら取り立ててやろう。どうする、乗るか？　それとも胴斬刑か？」

二択を突きつけると、ジェリーも、その部下達も。

迷いなく、額を地面に叩《たた》きつけるほどの勢いで、俺に頭を下げてきた。

そのまま兵士を一部割いて、ジェリーら盗賊団を州都ニシルに送る。

それを見送った後、ずっと黙って話を聞いていた兄上が。

「お前の話術はすごいな」

と言ってきた。

「そうですか」

「胴斬刑で散々脅して、怯えさせてから一気に切り崩したのは見事だった。だが、そこまで手間をかけるほどの相手か？」

「人は宝、そして希望ですよ、兄上」

「あんな輩《やから》でもか」

「あれでも、です」

「ふっ、そこまで言い切れるのはさすがだな」

☆

兄上と別れた後、俺は州都ニシルの屋敷に戻ってきて、追加の護衛の兵士を手配して、ジェリーの後処理をした。

ジェリー達は喜んだ。

俺が提示したのは、いわば人生一発逆転のチャンスだ。

もちろん死ぬこともある、兵として戦うわけなのだから。

しかし、帝国は『戦士の国』、戦功はあらゆる功績を凌駕《りょうが》する。

もしも生き残って戦功を立てられたら、一気に貴族になることも夢ではない。

人生大逆転のチャンスを提示されて、ジェリー達は全員、しつこいくらい俺に感謝した。

それの処理が済んだ後、接客メイドのセシリーが書斎に入ってきた。

「ご主人様。ロレンス、と名乗る方がお見えになってます」

「ロレンスか、通せ」

「かしこまりました」

セシリーが出ていき、しばらくしてロレンスが入ってきた。

ロレンスは部屋に入るなり、俺に片膝ついて頭を下げた。

俺は椅子《いす》から立ち上がって、ロレンスの腕を引いて立たせた。

「体はもう大丈夫か?」

「十三殿下のおかげで、もう大丈夫です。殿下直々に助けに来ていただいて、どうお礼を申し上げればよいのか」

「気にするな。それよりも、お前はこれからどうするつもりだ。俺の部下になる気はないか？」

「申し訳ございません。既にパスカル様に仕えている身でございますれば」

「……」

俺は眉《まゆ》をひそめた。

今の瞬間、湧き上がった感情をそのまま口にした。

「失望したな、お前には」

「え？」

いきなり何を？　って驚きの顔で俺を見るロレンス。

「お前は有能な人間だ。謙遜《けんそん》するな、色々調べた」

「はっ……」

ロレンスは気持ち頭を下げた。

「民のために色々出来る有能な人間だ。なのに何故《なぜ》いらんことにこだわってる」

「それは、パスカル様を裏切るのは……」

「自分が裏切り者になりたくない。それは私利私欲だろ。自分の名声を重視するという」

「――っ！」

「パスカルが民のために何かをする人間ならそれでもいい。だがあいつは民など毛ほどにも思ってない人間だ。お前もそれは知ってるだろう？」

「……」

「そんな男の元に戻る、自分が裏切り者だと呼ばれたくないが為に。それに失望したと言ってるんだ」

俺はため息をついた。

「もういい、どこへでも行くがいい」

そう言って、身を翻《ひるがえ》した直後、ロレンスがパッと土下座した。

両手両膝をついて、頭を床に叩《たた》きつける。

「なんの真似《まね》だ」

「私が……私が間違っておりました」

「……」

「殿下のおっしゃる通りです、私は……いつの間にか自分の名声のことを考えておりました。自分でも気づかぬうちに……いえ、それは言い訳になってしまいます」

「殿下の素晴らしいお言葉に目が醒《さ》めました。殿下こそ、真に仕えるべき主です。こんな男ですが、どうか、麾下《きか》に加えさせてください！」

お願いします！　と最後に付け加えて、ゴツン、と音がするほど額を床に叩きつけた。

「民のために働くのだな」

「はい！」

「よし、なら許そう」

「――っ！　ありがとうございます‼」

視界の隅っこの水のステータスはＳＳＳで動かなかったが。

そうじゃなかったら間違いなくステータスが上がっていただろう。

そんな男が、俺の下に加わった。

51　ノアとアララートと箱船

昼下がりの書斎。

ドンと一緒に、次々と政務を処理していく。

ここ最近すっかり慣れてきて、宰相達が概要をつけてきたものなら、その概要から大体は読み取ることができるようになり能率が上がった。

とはいえ流れ作業になってミスを起こすことだけは避けねばと、俺《おれ》は気を引き締めて政務に取りかかっていた。

そこに、ロレンスが訪ねてきた。

部屋に入ってきたロレンスは、俺の前で瀟洒《しょうしゃ》に片膝《ひざ》をつく。

「来たか。いくつかお前の意見を聞きたいことがある。ドン」

「はっ」

ドンは頷《うなず》き、書斎の隅っこに寄せておいた文書を取りに行こうとした。

実際ロレンスがどれくらい出来る人間なのかを試すために、政務を広範囲にわたって選《え》りすぐっておいた物だ。

それの対処を聞こうとしたが、ロレンスは更に頭を下げて。

「その前に殿下、一つお願いしたいことが」

「なんだ？」

「是非とも口説《くど》き落《お》として、殿下に紹介したい者がおります」

「分かった、行ってこい」

「…………………」

顔を上げたロレンスが、片膝をついたままポカーン、となった。

「どうした、変な顔をして」

「い、いいえ。まだ何も言ってないのに。どんな人間なのかも聞いていないのに。それをこうもあっさり承諾してくださったことに驚いているのです」

「そんなことか」

俺はふっ、と笑った。

「お前のことは信用している。それに」

「それに？」

「人は宝だ。お前ほどの男が紹介しようと思う人間なら間違いはないだろう」

「……」

ますますポカーンとして、絶句してしまうロレンス。

たっぷりと一分くらい固まって、我に返ったあと深呼吸して落ち着きを取り戻して。

「やはり殿下はすごいお方。一度でも、お仕えするのを拒んだ過去の自分が情けない思いです」

「過ぎた話だ」

「はっ。口説き落とせるか分かりませんが、殿下の統治には必ず役に立つ人物です」

「ほう?」

それまでロレンスに任せるつもりでいた俺だったが、その言い方に興味を持った。

手を完全に止めて、ロレンスを真《ま》っ直《す》ぐ見つめる。

「絶対になのか?」

「はい。私なんかよりも優秀な二人です」

「なるほど」

俺は頷き、立ち上がった。

ドンに向かって。

「少し離れる、後は任せる」

「御意《ぎょい》」

「殿下?」

頷くドンと、更に戸惑うロレンス。

「案内しろ」

「え?」

「お前にそこまで言わせるほどの人物だ。それなら俺が出向くのが礼儀というものだ」

「……やはり、すごいお方だ……」

ロレンスは苦笑いして、ちょっと俯《うつむ》いてしまった。

☆

馬に乗り州都ニシルを出て、南に向かった。

きちんと舗装された街道だが、後方の街並みが完全に見えなくなって、人気のない郊外になった。

ロレンスは同じように馬に乗って、俺の横についてくる。

「それで、紹介したい者の名前っていうのは？」

「はっ。リオン、それにクレスという名の二人です」

「リオン……」

「どうかなさいましたか？」

「いや、なんでもない」

聞き覚えのある名だが、気のせいかな、と思い首を振って忘れた。

「どんな二人なんだ？」

「私はかつて、ウォーター・ミラーという方の私塾にいました。学問を、特に世に役立つ実務的な学問を教える所です」

「ふむ」

「リオンとクレスはその私塾に入ってきて、どちらも三ヶ月で卒業していった者です。あまりにも優秀すぎて、最後の方は教わることがなくなって、逆に他の生徒を指導していたほどです」

「へえ、それはすごいな」

それほど優秀な人間なら、ますます会って、配下に加えたくなった。

人は宝、その二人を物に出来れば、俺の能力もますます上がるだろう。

そのままロレンスから二人の話を聞いた。

クレスは比較的温和な性格で、ミラー塾にもちょくちょく戻って来て指導をしていたが、リオンは喧嘩《けんか》っ早く、最後も他の生徒とケンカして、後ろ足で砂を掛けるような形でミラー塾を後にしたそうだ。

性格が実に対照的な二人だ。

「馬が合うようで、仲は良いです。常に行動を共にしてますし、今も人里離れた同じ山の中に住んでいます」

「そうか」

リオンとクレスの二人のことが大体分かってきた。

馬を更に進めていく。

ふと、道の先に砂埃《すなぼこり》が巻き起こっているのが見えた。

目を凝らすと、男が何かに追われているのが見えた。

追っているのは虎《とら》だ、それも普通の倍はある、体が真っ白な毛皮に包まれた大虎だ。

「リオン⁉」

「え？」

横を向く、ロレンスが驚いているのが見えた。

「あれがお前の言ってたリオンなのか？」

「間違いありません！　また何か変なことをしたな……」

ロレンスの口調に焦《あせ》りはあっても、驚きはなかった。

どうやらリオンという男は、こういうことが日常茶飯事のようだ。

他の塾生と大喧嘩をして塾を飛び出した男と聞いていたので、俺も特に驚きはなく、なるほどなという納得があった。

「ああっ！」

ロレンスの焦りは更に強くなった。

大虎とリオン、両者の距離が徐々に縮まっている。

このままでは十秒もしないうちに追いつかれるだろう。

「助けないと！」

「任せろ」

俺は立ち上がって、馬の背中を蹴《け》って飛び出した。

全能力ＳＳＳ。

馬を駆って向かうよりは自分の足で向かった方が速いと踏んだ。

そしてその通りだった。

俺は一瞬で距離を詰めて、リオンと大虎の間に割って入った。
大虎は咆吼《ほうこう》し、飛びかかってきた。
目前に迫る大虎は日差《ひざ》しを完全に覆《おお》い隠して、目の前がまるで夜のように暗くなる。
その巨体に向かって、俺は拳《こぶし》を突き出した。
軽く握った拳を、虎の眉間《みけん》に向けて振るう。
ゴキリ。
頭蓋骨《ずがいこつ》を砕き、首の骨が折れた音が、体の中を通って聞こえてきた。
一撃で絶命した虎はそのままぐったりと地面に崩れ落ちた。
ふむ、良い毛皮だ。
剝《は》ぎ取って陛下に献上しようか。
そう思っていると、背後から声が聞こえてきた。
「おいおい、こいつを一撃かよ。すげえなお前――って」
「ん？　お前は……」
男はなぜか驚いていているみたいで、それに振り向いた俺も驚いた。
知っている顔だ。
リオン。
しばらく前に、物乞いに変装して屋敷にやってきたあの男だ。
向こうも俺がノアだと分かったようで、気まずそうな笑顔を浮かべている。

俺の馬を引いてやってきたロレンスは、俺達の反応を見て、首を傾《かし》げてしまうのだった。

☆

リオンに案内されて、彼が住んでいる山に入った。

小さな山の中に、ひっそりと佇《たたず》むように建っている二軒の小屋。

そのうちの一つに、俺とロレンス、そして小屋の主であるリオンが向き合って座っていた。

「いやぁ、助かったよ。あんたらが来てくれなかったら、今ごろ俺はあの虎の胃袋の中だ」

「なんであの虎に追われてたんだ」

「あれ、ホワイトサーベルタイガーってな、その乳を人間の子供に飲ませたらすっごい免疫力がついて、子供が罹《かか》る病気とかまるまる罹らなくなるって説があってさ」

「ああ、聞いたことはある」

噂《うわさ》レベルだが、白い虎に育てられた人間の子供が、普通の子供よりも遥《はる》かに体が大きくて、丈夫で、強く育つという話は聞いたことがある。

「で、その乳がどんなもんかって気になって、子虎が生まれたって知って搾りに行こうとしたら……あのざまだ」

「当たり前だ！」

ロレンスは大声を出した。

「子育て中の猛獣に近づくなんて死にたいのか！」

「怒るなよ。そうだ、ちょっとは搾れたから、一緒に飲んでみないか？」

「お前な！」

いきり立つロレンスを抑えて、リオンに話しかける。

「リオン、といったな」

「ああ」

「ロレンスにあんたのことを推薦された。クレスと一緒にだ」

「ロレンスが？」

リオンはびっくりした顔でロレンスを見た。

「お前、か、か、カスカルのことようやく見限ったのか」

「……」

ロレンスは苦笑いして、答えなかった。

リオンのパスカルに対する呼び名と、それを聞いて反論しないロレンス。

どうやら、俺とロレンスの間で行ったやりとりを、彼ら友人の間でもやっていたらしい。

ロレンスは気まずそうな顔をしたまま、やがて答える。

「今は、殿下にお仕えしている」

「へえ……」

リオンは俺を見つめた。

「クソ頑固なロレンスを口説き落とせるなんてお前すごいな。コロンシアの話といい、大した男だ」

「コロンシア？」

「ああ、部下三人を向かわせただろ？　そのおかげで再建は上手《うま》くいってるぜ」

「なるほど」

ハワードらからの報告は聞いていたが、どうやら傍《はた》から見てもちゃんと復興は進んでいるようだ。

「よし、そういうことならお前の部下になってやる。クレスのことも任せろ」

「良いのか？」

「ああ。元からそのつもりだったし、ロレンスのでっかち頭を柔らかくしたすげえヤツって聞けば、クレスも反対はしないさ」

「そうか」

「これから頼むな——殿様」

口調はざっくばらんなものだったが、座ったまま、両手を膝について頭を下げる直前のリオンの目は。

ものすごく、真剣なものだった。

☆

数日後、書斎で政務をしていると、再びクルーズがやってきた。

前回同様、勅使としてやってきた宦官《かんがん》の前で、俺は片膝をついて頭を下げた。
俺の隣でドンも一緒に跪《ひざまず》いていた。
クルーズは勅命を諳《そら》んじた。
陛下の体調がすっかり良くなったので、避暑地から帝都に戻るとのこと。
それに伴い、俺の総理親王大臣の任を解く、という命令だ。
瞬間、視界の隅っこのステータスが変わった。

名前：ノア・アララート
法務親王大臣
性別：男
レベル：10／∞
HP　D＋E　火　E＋A
MP　E＋E　水　D＋S
力　D＋E　風　E＋F
体力　E＋E　地　E＋F
知性　E＋D　光　E＋C
精神　E＋D　闇《やみ》　E＋F
速さ　F＋E

器用　E＋D
運　　E＋D

帝国全土を意味するSSSが全部なくなり、それ以前のものに戻った。

その時よりも若干高く、いくつかDになっているのは、ロレンス、リオン、クレスの三人を配下に加えたためだろう。

それを眺めながら、この先どう能力を上げるべきなのかを考えていると。

「此度《こたび》は、よく政務を執り行ってくれた。ついてはアポピスを下賜し、封地にアララートを追加するものとする」

「す、すごい……」

黙って聞いていた——いや黙って聞かなきゃいけないはずのドンが、思わず声を出すほど驚いた。

俺も驚いた。

封地、アララート。

今となっては何もない、なにも産出しない辺境の土地だが、その名の通り、アララート一族が最初に挙兵した象徴的な土地だ。

ドンが「すごい」と思わず反応するのも宜《むべ》なるかなだ。

一方で、俺はもう少し冷静だった。

なぜなら、クルーズが勅命を宣告した瞬間に、俺のステータスがまた伸びたからだ。

名前：ノア・アララート
法務親王大臣
性別：男
レベル：10／∞
HP　D＋E　火　E＋A
MP　E＋E　水　D＋S
力　D＋A　風　E＋F
体力　E＋E　地　E＋D
知性　E＋D　光　E＋C
精神　E＋D　闇　E＋F
速さ　F＋E
器用　E＋D
運　E＋D

力の「＋」が一気にAまで上がった。
地の「＋」もDになった。
二つも上がっている。

アララートの土地は、今はたいした物はない。

かつて生まれた時、アルメリアを封地にもらった瞬間に水が上がったことと、実際のアルメリアの実情を考えれば。

アララートの土地で二つも上がるとは考えにくい。

となれば――。

顔を上げると、クルーズが連れてきた人間が、宝箱を運んでくるのが見えた。

宝箱を俺の前に置き、開く。

中には、蛇のモチーフが入った杖《つえ》が置かれていた。

これが――アポピスか。

手を伸ばして、アポピスに触れる。

共鳴。

レヴィアタン。

バハムート。

フワワ。

ベヘモト。

そして、アポピス。

五体が同時に音を立てて――まさに共鳴をしていた。

そのことにはさすがに驚いたが、周りを見ても、クルーズやドンがそれに反応した素振《そぶ》りはない。

俺だけってことか。
が、これで分かった。
アポピスはレヴィアタンらと同じ存在だ。
ならば、この上ないお宝。
俺は頭を下げて、下賜してくれた陛下——の名代たるクルーズに。
「ありがたき幸せ」
と口上した。

☆

その夜、俺は奇妙な夢を見た。
夢の中で、不思議な存在が五体、何かを話していた。
『我らを五人も、しかも何事もなく従えるとは』
『史上初ね、こんなの。すごい男だわ』
『これならば……あるいは』
『うむ、我ら全てを受け入れることも可能かもしれん』
『そして、アララートの地に眠る箱船を目覚めさせられる、そんな存在に』
『方舟《はこぶね》が目覚めれば、地上の人間も含めて全員が楽園にいけるものね。期待だわ』

『うむ、期待だ』

『期待しよう』

『無限《∞》の可能性を持つ我らが主に……』

『『『『期待しよう』』』』

52

蛇と少年

朝。

起きた俺《おれ》は、オードリーとメイド達の手で、寝間着から着替えていた。

まずオードリーが俺の寝間着を脱がす。

鍛えた筋肉質な体に、窓から朝日が降《ふ》り注《そそ》ぐ。

体を拭かれ、香料をすり込まれ。

俺はいつもの様に、ほとんど動かずにオードリーやメイド達に身支度を任せた。

「ノア様?」

「ん?　どうした」

「何かお悩みごとですか?」

「……なぜ分かる」

「お顔の色が、いつもより優れませんので」

「よく見てるな」

「ノア様のお顔ですもの」

オードリーはにこりと、しかしちょっとだけ頬《ほお》を染めながら答えた。

こういう類《たぐ》いの言葉は聞き慣れたものだが、妻の口から言われるのは悪い気はしない。

「お前の言う通りだ。陛下の御下賜の、アポピスが気になってな」

「あの蛇の杖《つえ》ですか」

「ああ」

俺ははっきり頷《うなず》いた。

オードリーはレヴィアタンらのことも知ってるから、前提をすっ飛ばして「気になる」の内容を話した。

「あいつ、まだ俺に臣従していない。今日はそれをやろうと思ってな」

「そうだったのですか。あの、それは見ていて大丈夫なことなのでしょうか」

「見るか？」

「はい」

オードリーは頷く。

強い憧《あこが》れと、懇願の色が表情に出ている。

「ノア様の神器達の話は聞かされてますが、それがノア様にかしづく瞬間は見たことがありません」

「ああ、確かに」

言われてみれば、と思い出す俺。

レヴィアタン。

バハムート。

フワワ。

べへモト。

これら全部、俺がオードリーと実際に会う前。

まだ都にいた時のことだ。

「なるほど……いいぞ」

「ありがとうございます！」

オードリーはものすごく嬉《うれ》しそうな顔をした。

そうこうしているうちに着替えが済んで、そのまま大食堂に移動して、上機嫌のオードリーの給仕で朝食をとった。

その後、オードリーとメイド達を連れて、庭に出た。

庭の東屋《あずまや》の前で、前もってアポピスを箱ごと持ち出してもらっていた。

それに近づき、箱を開ける。

蛇の意匠をかたどった杖を手に取って目の前にかざす。

「応じろ」

すると、念が返ってきた。

言葉にならない念だが。

「大丈夫なのですか、ノア様」

「問題ない、多少見くびられているだけだ」

「臣従してほしければ倒せと言ってきた。お前のような力に使われる子供には無理だろうがなと」

「なんたる無礼！」

オードリーは眉《まゆ》を逆立てて、自分のことの様に怒った。

俺は杖――アポピスを見た。

分かりやすくああ言ったが、アポピスから伝わってきたのは「ＳＳＳに振り回されただけの子供」だった。

総理親王大臣は解任され、俺の能力は元に戻った。

それで見下してきた、ってわけだ。

一方で、話は早い。

「お前を倒せばいいんだな？」

俺は再び、アポピスに話しかけた。

帰ってきたのは再び嘲《あざけ》りが交じった、しかし「そうだ」という意志だった。

「よし。ならこれを貸してやる」

俺はそう言って、アポピスを箱の中に戻して、ついでに鎧《よろい》の指輪を外し、一緒に箱の中に置いた。

次の瞬間、アポピスが変化した。

アポピスは鎧の指輪とリンクして、巨大な蛇に姿を変えた。

巨大な蛇は杖を丸呑《まるの》みして、人間など楽に丸呑みできそうな口を開けた。

「来る、鼻垂れ、小僧」

片言チックに喋《しゃべ》って、威嚇《いかく》するように口を開け放って、舌がちろちろと震える。

「ああ」

俺はレヴィアタンを抜き放って、斬《き》りつけた。

水色の光を曳く魔剣の斬撃《ざんげき》は、アポピスの鱗《うろこ》に弾《はじ》かれてしまう。

「硬い！」

アポピスは一瞬得意げな顔をした後、そのまま俺に噛《か》みついてきた。

地面を蹴《け》って後ろに下がる。

アポピスは更に襲ってきた。

蛇の長い胴体がうねりながら突進してきて、ぐるっと俺の周りを回って——締め付けてくる。

レヴィアタンを横一文字に構える。

締め付けがレヴィアタンにつっかえた。


レヴィアタンを手離して、その場で跳び上がって、蛇の締め付けから脱出。

「縮め」

脱出した後レヴィアタンを縮ませた。

伸びると力比べになるが、縮む分にはなにも問題ない。

針くらいに縮んだレヴィアタンは地面に落ちた。

締め付けが空を切って、蛇は一瞬とぐろを巻いたが、すぐに伸びて向かって来た。

それをかわして、レヴィアタンを回収して元のサイズに戻す。

「お前、非力。俺、斬れない」

蛇はそう言って、舌をちろちろ出して、ゲラゲラと笑った。

「とどめ、刺す。丸のみ、する」

蛇は突進してきた、口を開け放って嚙みつこうとしてくる。

レヴィアタンを構えて蛇を受け流す。

受け流した蛇はすぐにターンして、また突進してきたが、これも難なくいなす。

「「「おおおっ!!」」」

オードリー、そしてメイド達から歓声が上がった。

そうか、彼女達は分かるのか。

俺は力を捨てて、技のみでいなしていた。

それは毎朝の日課になった、ガジュマルを「斬らない」剣術だ。

武術は大抵、柔と剛にスタイルが分かれるもの。

俺が修練していたのは柔の極《きわ》みともいえる技だ。

それを使って、何度も何度も蛇をいなした。

「お前、せこい。男、もっと来る」

「ふっ」

見え透いた挑発には乗らなかった。

そのまま更にいなしていると、ふと、ある一定の角度で受け流すと、蛇の胴体に引っかかる箇所があるのが分かった。

何度かやってみた。

引っかかりはよりはっきりと分かった。

そこに斬り込んでみた。

突進を受け流した後、蛇はすぐにターンして突っ込んでくる。

そのタイミングに合わせて俺も突っ込んだ。

「――っ！」

今までいなされてばかりだった蛇は見るからに驚いた顔をした。

向こうの勢い、そして俺自身の力。

そして刃はちゃんと角度をつけて、引っかかりに突っ込む。

すると、それまで硬くて、つるつるで刃が通らなかったのが、まるで豆腐を斬るかのように刃がすんなりと通った。

そのまま更に突進、レヴィアタンで突き進む。

完全にすれ違った後、蛇の体は、まるで魚の開きのようにパカッと開いた。

「勝負あり、だな？」

鎧の指輪での具現化なので痛みはないだろうが、見事に斬られたことで蛇は唖然《あぜん》として、動きが完全に止まった。

しばらく待つと。

「お前、強い。しもべ、なる」

蛇はさっきまでの態度とは一変、実にしおらしくなった。

なんかの罠《わな》か？　とも思ったのだが。

名前：ノア・アララート
法務親王大臣
性別：男
レベル：10／∞

HP	D＋E	火	E＋A
MP	E＋E	水	D＋S
力	D＋A	風	E＋F
体力	E＋E	地	E＋D
知性	E＋D	光	E＋C
精神	E＋D	闇《やみ》	E＋C
速さ	F＋E		
器用	E＋D		

運　E＋D

視界の隅っこにあるステータスの「＋」、闇が一気にCまで上がったので、心から臣従したと分かった。

「これからよろしく」

蛇は上手《うま》く頭を上下して頷いた後、具現化を解いた。

大蛇があった所に、鎧の指輪と蛇の杖――アポピスが落ちていた。

俺はそれを拾い上げた。

「さすがノア様！」

終わったことを正しく感じ取って、それまで距離をとっていたオードリーが感動した表情で近づいてきた。

☆

数日後、外苑《がいえん》の書斎。

総理親王大臣はもう解任されたけど、政務の中で、使いやすいように改築していった書斎は、この先も使えると思って残しておいた。

その書斎で、ドンから報告を受けていた。

「これは？」

報告を受けた後、リストを眺めながら、ドンに聞いた。

「アララート州の代官が連名で送ってきた贈り物です。いずれもアララート地産の品ですね」

「アララートか」

「新たに統治者となった殿下への贈り物ですな」

「ああ、よくあるあれか」

口ではそう言うものの、実のところ俺は初体験だ。

アルメリアを封地にしてもらった時はまだ生まれた直後だったから、こういうことは全部周りの大人が処理していた。

だから、実際に俺の所に送ってきたのはこれが初めてということだ。

「ん？」

「いやいや、よくあるなんて違いますな」

「このリスト、通常の倍くらい豪華ですね、こんなにすごいリストは見たことがない」

「そうか？」

「リストには民からと思《おぼ》しきものもあります。総理親王大臣のご政務、アルメリア・州都ニシルの治水。様々な殿下の噂《うわさ》を聞いて、自発的に送ってきたんでしょう」

「なるほどな」

「ギルバートの時は、これの三分の一程度でしたね」

かつて、第一親王の下で働いていたドンが苦笑い交じりに言った。

「いやはや、すごいにも程がある」

「とはいえこんなにもらってもしょうがない。誰《だれ》かいるか？」

「お呼びですか？」

ドアを開けて、一人の少年が入ってきた。

外苑に当たるこの書斎の周りには、内苑《ないえん》と違って男子禁制がそこまで強くなく、男の使用人もいる。

少年は初めて見る顔だから、最近屋敷に入ったんだろう。

「これを俺の家人達に分配しろ。エヴリンはあれで酒好きだから醸造酒と蒸留酒一タルずつ。帝都にいるシャーリーはこの冷鉄の剣を二振り、フォスターとハワードは一振りずつ。ディランは娘がいたな、絹をまるまる送ってやれ。バイロンには醸造酒、シンディーは蜂蜜四種を全部一瓶《びん》ずつだ」

家人達の趣味と地位に合わせて、贈り物を分配する。

特に屋敷の中じゃなくて、外に出している者達を中心に配った。

一通り言い終えて、誰か漏《も》れはないか、と考えていると。

「分かりました。エヴリンさんは醸造酒と蒸留酒一タルずつ。シャーリーさんは冷鉄の剣を二振りで、フォスターさんとハワードさんは一振りずつ。ディランさんは絹を。バイロンさんは醸造酒、シンディーさんは蜂蜜四種を一瓶ずつ。ですね」

「……」

俺はちょっとだけ驚いて、少年を見た。

俺に見つめられて、少年はちょっとたじろいだ。

「ま、間違いがありましたか？」

「いいや、逆だ。よくあの一瞬で、一回聞いただけで全部覚えてたな」

叱《しか》られた、とかじゃないって分かった少年はほっとしていた。

「お前、名前は？」

「グランっていいます」

「屋敷に来てどれくらい経《た》つ」

「一ヶ月くらいです」

「なんでここに来た」

俺が少年に語りかけた直後は、何か言いたげにしてたドンだが、矢継ぎ早にグランのパーソナルな情報を聞いていくのを目の当《まあ》たりにすると、逆に何も言わないって感じで口を閉ざした。

一方で、聞かれたグランは若干戸惑いながら、俺の質問に答えた。

「両親が病気で、兄貴の稼ぎが少ないから、なにか稼げないかと思ってたら、宦官《かんがん》の募集がありました」

「なるほど」

宦官は毎月の給料とは別に、最初にまとまった金がもらえる。

去勢――つまり男性器を切りおとすのだから、それに対する補償というか、恩情だ。

「両親の病気は」

「少しは良くなったけど、まだ……」

グランは少し俯《うつむ》き、顔が翳《かげ》った。

「ふむ。今の給料はどれくらいもらってる」

「一月5リィーンです」

「50に上げてやる」

「…………………え？」

何が起こったのか分からないって顔をしたグラン。

「それからドンの下につけ。分かるな？」

最後の言葉はドンに向かって言った。

ドンは静かに頷いた。

俺がグランの記憶力を見込んだのを理解して重用するつもりだ、って顔だ。

「あ、ありがとうございます！　ありがとうございます！　ありがとうございます！」

グランは何度も何度も頭を下げてから、品物分配の為に書斎を出た。

残ったドンは俺に向かった。

「さすがでございます。あれなら、恩義を感じて殿下に命懸《が》けで尽くすでしょうな」

「命は賭けなくていい」

「へえ？」

「人は宝。尽くすのはいいが、生きて尽くしてもらわないとな」

「さすがでございます」

ドンは、完全に心服した、そんな顔で俺に一礼した。

53 俺たちの気が済まない

この日、アリーチェの歌を聴きに行って、昼過ぎくらいに屋敷に帰ってくると、庭に二人、木に括《くく》りつけられている男女の姿が見えた。

男の方は宦官《かんがん》、女の方はメイド。

どっちもこの屋敷にいる、顔を知っている人間だ。

その二人は木に括りつけられて、別の宦官に鞭打《むちう》たれている。

普段見ない光景を不思議がって立ち止まっていると、屋敷の中からゾーイが出てきた。

「お帰りなさいませ、ご主人様」

「あれはなんだ？」

聞くと、ゾーイは赤面して、複雑な顔をした。

「奥様が……その……」

「ふむ。分かった、オードリーに直接聞いてくる」

よほど言いにくいことなのが分かった。

強く問《と》い質《ただ》せばゾーイは答えるだろうが、そこまですることもない。

俺《おれ》は屋敷に入って、ゾーイに聞いて、リビングにいるオードリーを訪ねた。

NOBLE REINCARNATION

「あっ、お帰りなさいませノア様」

「ただいま。庭のあれは何だ?」

「すみません、私の不徳の致すところで」

「ん?」

どういうことだ? と目線で詳細を促す。

「ついさっきのことですが、あの二人が自分の部屋で、裸で抱き合っていたのを見たとメイドから聞かされて、それで行ってみれば……」

「ほう」

こめかみがヒクッ、と動いたのが自分でも感じた。

「男の方が?」

「ちゃんと改めました。全去勢――間違いなく宦官です」

「ふむ」

宦官の去勢にはいくつか方法がある。

睾丸《こうがん》だけを取る半去勢と、性器を丸々取ってしまう全去勢だ。

もちろん、宦官の成り立ちから考えて、後者の方がより「安全」なのは言うまでもない。

「ってことはただのごっこ遊びか」

「はい。ですので、宦官は鞭打ち三十メイドの方は十としました。内事ですので、私が処理しました――まずかったでしょうか」

「いや、まったく妥当だ。何の問題もない」

オードリーはほっとした。

宦官は去勢された男だが、だからといってまったく性欲がなくなったわけではない。

もちろんゼロになった宦官もいる、それはそれでいい。

しかし少しでも性欲が残っている宦官は、王宮でなら女官と、貴族の屋敷ならメイドと。

たまにいい関係になって、体を重ねることがある。

ちなみに完全に去勢した宦官は、体を重ねても「出す」ことができないから、相手を噛《か》む殴るなど、暴力的な行為に走る傾向があるという——のは余談だ。

これで実は去勢してなかったとなれば相手もろとも死罪だが、ちゃんと去勢した上での「ごっこ遊び」なら、鞭打ち数十回程度の話で終わる。

「なんで数に違いがあるんだ?」

「それが……宦官の方が『俺が誘った。彼女は悪くない!』と庇《かば》うので。メイドの方も同じように自分がかぶろうとしたのですが、宦官の方が額に血が出るほどの勢いで土下座してきたので」

「ふむ……両思いってわけか」

「はい」

オードリーは静かに頷《うなず》いた。

俺は少し考えて、一緒にリビングに入ってきたゾーイに言った。

「庭に行って、鞭打ちが終わったらここに来いって伝えろ」

「かしこまりました」

ゾーイはリビングから出て、二人を呼びに行った。

しばらくして、服がボロボロで、あっちこっちにミミズ腫《ば》れ――裂けて血が出てるところもある、宦官とメイドの二人組がやってきた。

二人はリビングに入るなり、ものすごく青ざめて土下座をした。

「も、申し訳ございません！」

「もう二度としません！　ですから――」

「ああ、もう罰は受けたんだ、そのことはいい」

俺は手をかざして、二人の謝罪を止めた。

オードリーの言う通りこれは内事だ。

彼女が処分した以上、俺が何か言うのは良くない。

オードリーは俺の正室、つまり王妃だ。

面子《メンツ》があるし、明らかに間違ってるのならともかく、それがないのに俺がしゃしゃり出たら今後誰《だれ》も彼女の命令を聞かなくなる。

「そういう話じゃない。お前ら、好き合っているみたいだな」

「それは……」

「えっと……」

宦官とメイドは互いに見つめ合った。

どう答えていいのか分からない、って顔だ。

やがて、宦官の方が意を決した顔で。

「はい！　好き合ってます。俺たち同じ村の出身で、彼女は殿下の屋敷に、俺は王宮に行ってたのですが、殿下が封地入りする時に、上に頼んでついて来たんです」

「幼馴染《おさななじ》みってわけか」

オードリーを見る、彼女はびっくりした顔で首を振った。

どうやら知らなかったみたいだ。

「はい……」

「ずっと一緒にいたいか」

「居たいです……だからついて来て……」

宦官は訥々《とつとつ》と答える。

俺の真意をはかりかねて、おそるおそるって感じだ。

「最後にもう一つ。屋敷の中にお前達のようなのはいるか？」

「――っ！」

「密告しろって話じゃない。ああ、話す順番が悪かったな。ゾーイ、屋敷の周りにある家を何軒か買い上げろ。出来ればぐるっと屋敷を取り囲むようにしてな。で、その一つをお前ら二人にやる」

「「…………」」

二人はポカーンとした、何が起きているのか分からず、まったくついていけてない様子だ。

「昼間は今まで通り屋敷で仕事しろ、夜は二人の家に帰っていい」

「ノア様……それはまるで……臣下に婚姻を斡旋《あっせん》しているように見えますけど」

オードリーが言うと、二人はハッとした。

「俺はそのつもりだ」

オードリーに答えてから、二人に聞く。

「どうだ？　ずっと一緒にいたくないって言うのならこの話はなかったことにするが」

「と、とんでもありません！」

「ありがとうございます！　ありがとうございます！」

二人は俺に何度も何度も頭を下げた。

「こんな……こんなすごいお方だったなんて……」

「このご恩は一生忘れません」

「ん。ああそうだ。娘なら、養子をとってもいいぞ。養子の娘も家人扱いにしてやる。別に息子でもいいが、お前も息子をとってその子まで宦官にはしたくないだろう？」

「「――――っ！　ありがとうございます!!」」

二人は涙が出るほど感激して、何度も何度も、米つきバッタの様に頭を下げ続けた。

「というわけだ。使用人達に他にも『家庭』を作りたい者がいれば今のと同じにしていい。お前に任せた」

「はい、分かりました」

オードリーは微笑《ほほえ》んで頷いた。

「しかし、さすがノア様ですね。そんな処置、私では到底思いつけませんでした」

「あの、ご主人様……」

「ん？」

ゾーイの方に振り向く。

彼女は何故《なぜ》か、困り顔をしていた。

「どうした」

「その……ご主人様の命令なのですが」

「ん？」

「今年は、その……お金が……」

「……ああ」

少し考えて、ゾーイが難しい顔をした理由が分かった。

前に、治水事業の件で、オスカー兄上が今年は予算が付かないから、俺の私財からひとまず補塡《ほてん》したのだ。

「まったくないのか？」

「いえ、多分希望者の分は。ただぐるっと屋敷を取り囲むように買うのは……」

「なるほど。ならまず希望者の分だ。周りの住民もすぐに出て行けるわけでもない。残りは来年まで待とう」

「分かりました。そのようにします」

☆

次の日、リビングでくつろぎながら、新しく臣従したアポピスと先輩に当たる四体の模擬戦をやって、レベル上げ兼こいつらの序列を決めていると、接客メイドのセシリーが入ってきた。

「ご主人様、お客様でございます」

「何者だ？」

「えっと……町長さん達が、たくさん」

「なに？」

思わず眉《まゆ》をひそめた。

「町長って、ニシルのか？」

「はい」

「分かった、応接間に通せ。それとドンも呼んでこい」

「かしこまりました」

セシリーは頷き、リビングを出た。

俺は立ち上がって、考えながら応接間に向かう。

アルメリア州、州都ニシル。

この州都ニシルは、いくつもの「町」に分かれている。

その町ごとに町長がいて、二つないし三つくらいの町をベースに、一人の代官を置いている。

その町長が大勢で押しかけてきた？

なんだろう一体。

考えても分からないまま、途中でドンと合流して、一緒に応接間に入った。

部屋の中に二十人ほど立っていた。

ほとんどが老人で、たまに中年もいる。

そんな感じの町長達だ。

「お初にお目にかかります。私デロスと申します」

一番前の老人が頭を下げながら言った。

他の町長達はつられて頭を下げるが、何も言わない。

どうやらこのデロスがリーダーのようだ。

「うむ。セシリー、皆に椅子《いす》を」

「かしこまりました」

俺はソファーに座った。ドンは俺の後ろに控える様に立った。

町長達の人数では部屋に備え付けのものが足りなかったから、メイド達に椅子を運ばせた。

町長ら全員が椅子に座ったのを待ってから。

「で、今日はなんだ？」

と、デロスに聞いた。

「こちらを」

デロスは立ち上がり、俺の前にやってきて、両手で何かを差し出した。

受け取って、それを開く。

文字が書かれた、目録のようなものだ。

「これは？」

「町民一同のカンパでございます」

「カンパ？」

「聞けば――治水事業」、今年は殿下が私財を投じてくださったとのこと」

「……」

「水はこのニシルの生命線。殿下にいくら感謝してもしきれません」

「それでカンパして、俺に返しにきたわけか」

「はい」

デロスが言うと、町長らが全員、示し合わせたように立ち上がって、そのまま頭を下げた。

「失礼かとは存じますが。民の気持ち、どうかお受け取りください」

「「「お願いします」」」

「分かった、遠慮なくもらおう」

「「「ありがとうございます！」」」

再び顔を上げた町長達は、全員が嬉《うれ》しそうな顔をしていた。

☆

町長達が帰った後、応接間に残った俺とドン。

俺はデロスからもらった目録を眺めている。

「なんという……こんなすごい話初めてです。民がこうして自発的に金を出すなんて前代未聞。これも殿下の人徳でございますな」

「ドン」

「はい、何でしょう」

「特等水にするための水源浄化、進めろ」

「え？　それは予算が付いてから――」

俺は目録をドンに放り投げた。

「これがあるだろ？」

「……」

ドンはポカーンとした。

「し、しかしそれは殿下の――」

「民の健気《けなげ》に応えるのも貴族の義務だ。俺が使った金は来年財務省から取り返す。これは民の金、だから民に使う」

「――御意《ぎょい》。間違いなく、全《すべ》てを水利事業に使います」

「うむ」

俺は頷き、ドンを残して応接間を後にした。

☆

ノアが去った後、しばし応接間にとどまって考えごとをしていたドンは、やがて部屋を出て、ゾーイを探した。

今やメイド長となっているゾーイ。

ドンが見る限り、エヴリンに勝るとも劣らない才覚を持っていながらも、本人はノアに忠誠を誓っているので、エヴリンのように代官などになるつもりはないという。

そのゾーイに、今起きた出来事と、受け取った目録を見せた。

「ご主人様らしいです。やるだけやって、民には何も言わないのでしょうね」

「それでは俺たちの気が済まない」

ドンが言い、ゾーイは頷く。

「何をすればいいのですか?」

「俺は全力で水利事業を進める。ゾーイはメイドや宦官を使って噂《うわさ》を流してくれ」

「事実を、包み隠さず？」

「そうだ」

「分かったわ。任せて」

「頼んだ」

ドンとゾーイ。二人は頷き合って、この場は別れた。

ノアは「やせ我慢は貴族の特権」だと言って言いふらすことを好まないが、彼を慕う者達はそれでは我慢ならない。

本人の意図しないところで、名声がますます上がっていくのだった。

上位5%の強さ

この日は朝から、庭の東屋《あずまや》でレベル上げをしていた。

屋敷から離れて、庭の開けた所にある東屋。

そこでゾーイを侍らせたまま、模擬戦をやっている。

アポピスが新たに加わったことで、そのアポピスを他の四体と戦わせた。

共に鎧《よろい》の指輪にリンクし、具現化させて戦わせる。

五体のうち、アポピスは四番目くらいの強さってところだ。

覚醒《かくせい》してからは、バハムートがトップを独走している。

もと一位で陥落したレヴィアタンとの力関係は完全に逆転して、バハムートが十回やれば九回は勝てるって差だ。

三番目はベヘモトで、四番目はアポピス、最後がフワワ。

ただし、上の二体が抜きん出ていて、下の三体はこれといった差はない、というのが現状だ。

一体増えれば、戦いの組み合わせもかなり増える。

組み合わせが増えれば、戦いの内容や結末も爆発的《ばくはつ》に増大する。

それが面白《おもしろ》くて、朝からずっと模擬戦をし続けていた。

夕方にもなると、朝に比べてレベルの上がり具合が目に見えて遅くなってきた。

名前：ノア・アララート
法務親王大臣
性別：男
レベル：15／∞
HP　C＋E　火　E＋A
MP　E＋E　水　C＋S
力　C＋A　風　E＋F
体力　D＋E　地　E＋D
知性　E＋D　光　E＋C
精神　E＋D　闇《やみ》　E＋C
速さ　E＋E
器用　E＋D
運　E＋D

視界の隅っこに常にあるステータスを見る。
レベルが10から15に上がって、HPと力、それに水の属性がCになった。

ただし、それは俺の力のみでだ。

「ゾーイ、ステータスチェックだ」

「かしこまりました」

ずっとそばに控えていたゾーイに命じて、魔法を掛けてもらう。

名前：ノア・アララート
法務親王大臣
性別：男
レベル：15／∞

HP	B	火	S
MP	D	水	SSS
力	SSS	風	E
体力	C	地	C
知性	C	光	B
精神	C	闇	B
速さ	D		
器用	C		
運	C		

ゾーイが掛けた魔法で、「+」の補正を上乗せした、表向きのステータスが出てきた。

「さ、さすがご主人様。またすごく強くなってます……」

「そうだな」

封地にアララートが加わった結果だ。

アララート分のAが上乗せして、力がSSSになった。

他も順調に上がっている。

俺自身の能力と、部下を加えた分の「+」。

二つが合わさって、いい感じに強くなった。

力がSSSなら気をつければ、最強モードの時と同じくらい戦えるかもしれない。

俺が能力を見て色々考えている傍《かたわ》らで、ゾーイが驚嘆したまま帰ってこない。

「どうした、そんなに驚いた顔して」

「お、驚きますよ。だってレベル15って、帝国臣民全《すべ》ての上位5%だっていうじゃないですか」

「……ああ、そうだったな」

実はそうだ。

レベルを上げることは実に難しい。

かつて栄華を誇った古代文明には、「回復魔法」というものが存在していた。

信じられないことに、その魔法は人間のケガを一日足らずで癒やせてしまうというのだ。

その回復魔法があったおかげで、その頃《ころ》の人間は思う存分戦い、レベルを上げることが出来た。

今は皇族の初陣がとても慎重に、モンスターの巣を「育てて」やることからも分かる様に、レベル上げは非常に困難だ。

もっといえば、人類の半数近くは、最大レベルが10未満という事実もある。

かくいう俺も、前世の最大レベルは8だった。

「そんなに若いのにもうレベル15……ご主人様って本当にすごい……」

ゾーイは、俺のレベル15にいつまでも驚嘆し続けていた。

☆

その日の夜、書斎で調べものをしていたら、ドンがノックして入ってきた。

「よかった、まだここにいたのですね殿下」

「もうそろそろ内苑《ないえん》に戻ろうと思っていたところだが……どうした」

「でしたら本当によかったです。内苑に戻られると私は入れませんので」

ドンはほっとして、俺の机に箱を置いた。

「これが送られてきました」

「フワワの箱か」

「はい」

頷《うなず》くドン、真顔で箱を見ている。

「殿下から聞いた話では、これが送られてくるということはちゃんとした報告だとか」

「そうだな」

フワワの箱。

フワワの力を使って作った箱で、一旦《いったん》鍵《かぎ》を掛けてしまえば俺以外の人間は開けることが出来なくなる。

それを俺に直接報告するために、あるいは密告が出来るように、いくつかの代官やら役人やらに配ったものだ。

ちなみに、これを栄誉だとして、他人に見せびらかした時は即座に自壊する造りにもなっている。

それが鍵を掛けて送られてきた。

俺は慎重に箱に触れて、鍵を開けようとした――

「むっ」

「どうしました？」

「おかしい」

「え？」

「これは……何かがおかしい」

何かがおかしい、というのは推測や直感などといったものではない。

名前：ノア・アララート
法務親王大臣
性別：男
レベル：15／∞
HP　C＋E　火　E
MP　E＋E　水　C
力　C＋A　風　E
体力　D＋E　地　E
知性　E＋D　光　E
精神　E＋D　闇　E
速さ　E＋E
器用　E＋D
運　E＋D

箱に触れた瞬間、俺のステータスで、属性の「＋」が全部消えていた。
物を手に入れて「＋」がつくことは今までよくあったが、減るのは初めてだ。
俺は慎重に、箱を開けた。
中にこぶし大の石と、手紙が入っていた。

俺は手紙を読んだ――眉《まゆ》をひそめてしまった。

「何が書いてあるのですか」

「この石は隕石《いんせき》だが、落ちてきた時の衝撃で表に『自然に』『賢』の文字が出来たらしい」

「あー……」

ドンは眉をひそめ、苦笑いした。

俺は石を手に取って、眺める。

石の表面にははっきりと、賢親王の「賢」の文字が刻まれていた。

「よくある手ですね。天然でこういうものが出てきたから、吉兆だとしてごますりに献上する輩《やから》が。このようなものが天然で出来るはずがないのに」

「……」

「しかし、さすが殿下ですな。箱を手に取った瞬間分かったとは」

ドンの言葉を聞き流し、俺は隕石を見つめた。

箱を手に取った瞬間に分かった――ステータス減。

それは、ごますりだとか、今後フワワの箱に新しい機能を追加しなきゃいけないないなとか。

そういったことがまとめて吹っ飛ぶほどだ。

俺は少し考えた後、レヴィアタンを抜いた。

水の魔剣を振るって、隕石を真横に両断する――瞬間。

隕石の中から何かが飛び出した。

「うわっ！」

飛び出した物が膨らんで、ドンがそれに弾《はじ》き飛ばされて、壁に叩《たた》きつけられた。

それは次第に形になり——うにょうにょと蠢《うごめ》く、まだら色の触手となっていく。

実に名状しがたい醜悪さと、不吉さを併せ持った触手だ。

触手が暴《あば》れだす。

床を穿《うが》ち、壁をなぎ払う。

あっという間に、執務用の書斎を半壊させてしまった。

崩壊で巻き起こった砂煙の向こうに星空が見える。

「殿下！」

「下がっていろ！」

こっちに向かってこようとするドンを一喝して、レヴィアタンを構える。

破壊するごとに体積を増していく触手に、まずは威嚇《いかく》をぶつけた。

「効かないか」

触手の動きが鈍る様子は全くなく、わずかにビクッとしただけで、更に破壊を続けていく。

あれよあれよという間に、書斎はほぼ全壊だ。

そして壊すものがなくなったのか、触手は蠢きながら、こっちに向かってきた。

「ふっ！」

突進してくる先端に、レヴィアタンで斬《き》りつけて迎撃する。

「硬いな――だが！」

刃が通らないほどじゃない。

片手で斬りつけた俺は、両手で構えて力を込めた。

触手の真ん中から、縦に一直線に引き裂く。

まるで絡《から》み合《あ》った糸くずのような触手のうち、一本が切断され、床に落ちて痙攣《けいれん》した後に動かなくなった。

斬撃《ざんげき》は通用する！

俺はレヴィアタンを構えて触手に肉薄する。

人間でいう懐《ふところ》に潜り込むやいなや、レヴィアタンを乱舞して斬りつけた。

堅いが、アポピスほどじゃない。

水色の魔剣で、容赦なく触手を斬り落としていく。

ものの三分程で、書斎を全壊させて巨大化した触手を細切れにすることが出来た。

「……これで終わりか」

レヴィアタンを構えたまま、生き残りを少し警戒した。

ついでに威嚇も飛ばしてみるが、反応した様子もないのでレヴィアタンを納める。

「大丈夫か？」

「……」

「ドン？」

「え？　あ、ああ。大丈夫です。殿下の剣術はすごいですな。あんな化け物を一瞬で」

「それよりもこの箱を送ってきたヤツを捕まえて、話を聞け」

「そうでした！」

激戦に唖然《あぜん》としていたドンが慌てて外に飛び出して行った。

55 人の長城

ほぼ全壊した書斎は、使用人やらメイドやらがとりあえずの始末をしていた。
その場にいても仕方がないから、俺《おれ》は庭に出ている。
星空の下で、能力を確認。

名前：ノア・アララート
法務親王大臣
性別：男
レベル：15／∞
HP　C＋E　火　E＋A
MP　E＋E　水　C＋S
力　C＋A　風　E＋F
体力　D＋E　地　E＋D
知性　E＋D　光　E＋C
精神　E＋D　闇《やみ》　E＋C

速さ　Ｅ＋Ｅ
器用　Ｅ＋Ｄ
運　　Ｅ＋Ｄ

能力は完全に元通りだ。

増えてもいなければ、減ってもいない。

隕石《いんせき》を手にしたあれは一時的なものらしく、あの触手を倒すと戻るようだ。

念のために五体の能力も一通りチェックする。

直前にやった模擬戦でつけた序列を下から順にやっていき、最後はバハムートの業炎を出した。

掌を上にして突き出して、その掌の十センチくらい上に浮かぶ炎の玉。

燦然《さんぜん》と輝く炎の玉は、周り一帯をまるで昼間のように明るく照らした。

「おお‼」

背後から感嘆する声が聞こえる。

振り向くと、ドンが戻って来ていた。

「さすが殿下、あの凄《すさ》まじい戦いでも手加減——力を抑えていたのですな」

ドンは、明らかに「すごい」炎の玉を見て驚嘆していた。

「それよりも、捕まえたのか」

「はっ、本人がニシルまで持ってきて、殿下の屋敷には使用人が届けたそうです。ただ……」

「ただ？」

「私が行った時、そいつは『待ってました』と嬉《うれ》しそうでした。褒美がやってきた、という感じで。少し脅して話を聞いても、本人は『隕石を拾って文字を彫った』としか」

「単にごまをするつもりだったってことか？」

「そう感じます。もちろん演技の可能性もありますので、引き続き尋問させてます」

「分かった、だったらこの件はお前に任せる」

「はっ」

それでもう報告することはなくなったドンは、一礼して下がっていった。

能力が戻ったのはいいが、一つ、謎《なぞ》が残ってしまったな。

☆

封地入りしている親王は年に一度、都に戻って、陛下に封地統治の現状を報告する義務がある。

その時期になったので、俺は州都ニシル――そしてアルメリアを出て、生まれ育った都に戻って来ていた。

都にある十三親王邸には戻らず、一直線で王宮を訪ねる。

顔見知りの宦官《かんがん》に陛下へのお目通りを願い出ると、すぐさま書斎に通された。

書斎に入り、俺は慣れた所作で陛下の前で片膝《ひざ》をつく。

「おお、ノアじゃないか」

「臣・ノア、年度報告に参上いたしました」

「そうかそうか。それよりも聞いたぞ。結構な怪物を剣一本で倒したそうじゃないか」

相変わらず耳が早い陛下。

俺が出発する直前の話なのに、もうすでにキャッチしている。

「さすがノア、さすが我が『戦士の国』の親王」

陛下はものすごく上機嫌だった。

帝国の正式名称は「ミレース帝国」、古い言葉で「戦士の国」って意味だ。

その戦士の国の親王が戦いで力を見せつけた。

陛下はそのことにものすごく喜んでいる。

「陛下からアルメリアだけではなくアララートも預った身として、日々の精進は怠ってません」

「うむ。これからもより励むといい」

「はっ。つきましては――」

「ああ、報告だったな。それは今はよい」

陛下は俺の報告を止めた。

俺は小首を傾《かし》げて、不思議そうに陛下を見た。

「外交の使者が来ているのでな、余はそれにまず会わねばならん。ノアも同席しろ」

「御意《ぎょい》」

外交ならそっち優先は当たり前だ。

陛下はそう言った後立ち上がって書斎を出た。

俺はその後についていく。

王宮の中を進み、連れてこられたのは大広間。

基本は謁見《えっけん》の間と似たような造りだが、陛下の玉座だけは二階くらいの高さのある高台の上に設えてある。

執務ではなくて、外交の使者など、権威を強調したい時に使う広間だ。

既に第一と第三宰相が台の下に控えていて、その他にも数人の役人や書記官達がスタンバっていた。

陛下はゆっくりと高台に登っていき、俺は台の下、第三宰相の横に立った。

古馴染《なじ》みだが、ここで挨拶《あいさつ》をするわけにもいかないので、互いに目礼だけを交わした。

陛下が玉座に座るなり手をかざす、すると門の所にいる宦官が甲高い声で言った。

「ルーシ・ツァーリの使者、ご入来」

ルーシ・ツァーリ？

初めて聞く名前だな。ルーシ王国とは違うのか？

そんなことを考えながらしばらく待っていると、外から一人の男が入ってきた。

浅黒い肌の、ヒゲがもじゃもじゃしている男だ。

男は指定された場所に辿《たど》り着くと、その場でぎこちない動きながらも、片膝をついて一礼した。

そして、何かを言う。

聞き慣れない言葉だ。

「陛下にお目にかかれて光栄、と、申しております」

控えている役人の一人が陛下に言った。

なるほど、通訳官ってことか。

陛下が鷹揚《おうよう》に頷《うなず》くと、男は更に何かを言った。

それを最後まで聞いた通訳官は眉《まゆ》をひそめて。

「えっと、私は……偉大なる、その……の、使者で参りました。もっと偉大な皇帝陛下に……その、お願いがあります」

しどろもどろに通訳する通訳官。

陛下がじろりと通訳官を睨《にら》んだ。当たり前だ、傍目《はため》でも分かる、通訳が上手《うま》く訳せていない。

睨まれた通訳官は汗だらだらになった。

「まずは、ルーシ・ツァーリとは何だ、と聞け」

「はっ！」

通訳官は片膝ついている男に話した。

これまた、陛下の表情が不快になっていくこととなった。

言葉は分からない、しかし話をされている男が何度も首を捻《ひね》ったり、不思議がったりしている。

明らかに言葉が上手く通じてないのが分かる。

「やはりダメですな」

横で、第三宰相ジャン＝ブラッド・レイドークが俺だけに聞こえるようにぼそっと言った。

「何か知っているのか？」

「あれはルーシ語の中でも更に南の方言のようですからな。通常の通訳官では難しいでしょう」

「なるほど」

俺は頷《うなず》いた。

ルーシとは、帝国の北にあるルーシ王国のことである。

国民全体に見る気性の荒さと、帝国に勝るとも劣らないほどの武力重視の風潮も相まって別命、羅刹《らせつ》の国とも呼ばれている国だ。

当然、帝国とはちょこちょこ諍《いさか》いが起きており、そのための交渉でも必要なので通訳官は常にいるのだが。

大抵の通訳官がそうであるように、標準語は通訳出来ても方言は難しいのだ。

まずいな、陛下の機嫌が徐々に悪くなっている。

このままじゃ――と思っていたところに。

『我に任せよ』

と、バハムートの声が聞こえてきた。

（任せる？）

『我らは人を超越し、あらゆる人と意思の疎通が出来る存在』

どういうことだ？　と思っていると。

『だから、皇帝陛下に言ってくれ。私はルーシ・ツァーリを代表して、帝国と同盟を結ぶためにやってきた使者だって』

さっきまでまったく分からなかった男の言葉が、はっきりと分かる様になった。

聞こえ方は、バハムートの言葉か、レヴィアタンの感情に近いあれ。

あんな感じで、耳に入ってきた知らない言葉が、理解できる意味で頭に届いた。

『俺が伝えよう』

口を開くと、使者の男も、通訳官も驚いた。

俺は陛下に振り向いて、見上げながら言った。

「恐れながら申し上げます。この男はルーシ・ツァーリを代表する、同盟を結ぶ使者だと申しております」

瞬間、広間の中がざわつく。

「解《わか》るのか、ノア」

「はっ」

「……ルーシ・ツァーリとは何だ、と聞いてみよ」

陛下は少し考えて、俺に言った。

俺は男に振り向き。

『ルーシ・ツァーリって何だ？　ルーシ王国ではないのか？』

『俺達はルーシの圧政から立ち上がったものだ。既に王国南方、帝国と隣接している土地を支配下に置いている。ルーシ・ツァーリというのは我々の新しい国の名前だ』

男から聞いた話を、そのまま陛下に伝えた。

「ふむ。すごいな、ノアは」

陛下は俺の通訳を最後まで聞いて、感心した目で俺を見た。

……陛下のことだ、今俺が伝えたことはきっともう知っている。

いや、陛下じゃなくても、国政の中枢にいる人間なら知っていて当たり前のことだ。

隣接していて、散発的な交戦状態にある国に内紛が起きて、一部独立した。

どんな皇帝だろうと把握している重大な出来事だ。

それを知らない（はずの）俺が通訳で正しく訳した。

「さすがだノア。引き続き通訳を頼む」

「御意」

「ルーシ・ツァーリは帝国とどのような同盟を結びたいのだ？」

『俺達はルーシの圧政に耐えかねて立ち上がったのみ。偉大なるミレース帝国に敵対するつもりはまったくない。国境の恒久的な平和を願う』

「それを信じさせる根拠は」

『我が王の母、そして姉を人質に差し出す用意があります』

俺が訳した直後、宰相達を含む大臣達が一斉に「おおお」と声を上げた。

男が俺に目礼した。

言葉が通じなくても、今の反応で正しく訳しているのが分かる。

王の母と姉を人質に自ら差し出すというのはそれほどのことだ。

「話は分かった。重臣らと諮ってから返事をする。今日は下がって休んでいるがいい」

『ありがたき幸せ』

使者の男は最後に一礼してから立ち上がり、身を翻《ひるがえ》して大広間を出た。

使者がいなくなった後、陛下が俺達に聞いた。

「今聞いた通りだ。卿《けい》らの意見を聞きたい」

第三宰相が一歩出て、軽く頭を下げてから答えた。

「私は乗るべきではないと思います。名前を変えていてもルーシ――羅刹の国の流れを汲《く》むもの。信用するべきではありません」

それに対して、第一宰相が反論した。

「彼の国とは交戦してはおりません。ここはまず受けて、帝国の懐《ふところ》の広さを示すべきかと。そのまま臣従するならよし、血迷って跳梁《とうりょう》してきた暁には改めて叩《たた》き伏せればよろしいかと」

第一宰相は反対、第三宰相は賛成。

その二人を中心に、他の大臣らも次々と意見を述べた。

それが一通り終わった後、陛下は俺に向かって。

「ノアは、どう思う?」

俺は少し考えた。

アルメリア、州都ニシルの屋敷のことを思い出した。

屋敷の周りを――と目論んでいたことが、ここで似たような状況になるとはな。

「俺は賛成です。むしろ積極的に支援するべきだと思います」

大臣らは騒《ざわ》ついた。

「静まれ。ノアよ、その理由は」

「はい、地図で説明できれば」

「誰《だれ》か地図を持てぃ」

陛下が命じると、四人の宦官が、まるで旗のようなサイズの地図を持ってきた。

帝国と、周辺諸国を示した地図だ。

俺は書記官の所からペンを取って、地図の上――帝国とルーシ王国の国境の上に、もう一本の線を引いた。

国境とその線の間にある区域に「長城」と書き込んだ。

「ルーシ・ツァーリの領土をこのような形にするのが最適かと」

「ふむ、帝国とルーシ王国を寸断するような形なのだな?」

「はい。ルーシ王国との諍いの歴史は永く、あらゆる手段をとってきたのにもかかわらず根絶は不可能でした。それどころか講和の意思すら向こうは見せたことはありません」

「うむ」

「一方、ルーシ・ツァーリは王の母親と姉を人質に差し出すほど、帝国と手を結びたがってます。であれば、ルーシ・ツァーリを使って、防波堤にするべく支援するのが上策かと」

「……なるほど、石の城ではなく、国の長城というわけだな」

「御意」

俺ははっきりと頷いた。

これが、俺が屋敷でやろうとしていたことだ。

かつて、俺が暗殺されかかったことがあった。

メイドのゾーイを買収して、俺に毒を盛ろうとした連中がいた。

しかし、俺に恩義を感じるゾーイが逆に俺に密告してきた。

それと同じように、屋敷の周りに、俺に恩義を感じる人間をぐるっと取り囲むように配置したいと考えた。

今年は金が足りないから、来年以降だと思っていたが――ここで似たような状況に出くわすとは予想外だった。

「こうすれば、ルーシ王国は最低でもルーシ・ツァーリを叩きのめさないと帝国に手が出せません」

その話を聞いて、陛下は。

「うむ、すごいぞノア。その案素晴らしいぞ」

「少し恩を売り、更に支援をしてもよろしいかと。向こうは反乱を起こした直後ですから、物資が不足しているはず。アルメリアのホージョイなら、１００万人分の余剰食糧を出せます」

「うむ！　よく言ってくれた。では第一宰相」

「はっ」

「その方向で諮れ」

「御意」

俺の提案が受け入れられ、陛下はもちろん、大臣らも感心した眼差《まなざ》しで俺を見つめていた。

56

二人の騎士

大広間を離れ、陛下と一緒に書斎に戻ってきた。

一緒に来いと呼ばれたのは俺《おれ》だけ。

陛下はいつも通り机に戻って椅子《いす》に座り、俺はその机を挟んで陛下と向かい合った。

「さて、ノアよ」

「はっ」

「人質のことなのだが。向こうに恩を売るためにも、親王の誰《だれ》かの側室にあてがおうと思っているのだが、どう思う」

「側室ですか」

「ただの人質よりも、親王――余の息子の側室にした方が良いだろう」

政略結婚というわけだ。定石でもある。

俺は少し考えた。

陛下は「恩を売る」と言った。

それは陛下が思う大まかな方針だ。

それを起点に――いや動かない終点として。

NOBLE REINCARNATION

それに添うようにして、更に帝国の利益《りえき》になる何かを考えた。

脳裏《のうり》に様々なものが電光石火の如《ごと》く駆け巡っていった後、俺は陛下に一礼して、答えた。

「人質は受け取らずにいた方が良いかと」

「ほう？　何か面白《おもしろ》いアイデアがあるのか？」

陛下は興味津々な目で俺を見た。

「はっ。まず、人質は要らない。母親と姉。いくら必要だと分かっていても、それを人質にして、完全に割り切れる人間はそうはいない」

「当然だな」

「ですので送り返します。そのかわり、先ほど進言いたしました食糧。それを一週間毎に区切って送ります」

「一週間毎？」

「はい、ルーシ・ツァーリの民の腹を賄えるギリギリの分を、一週間毎」

「それでどうなる――はっ」

聞きかけて、ハッとする陛下。

陛下は最初は驚き、次ににやりと口角を歪《ゆが》めて、俺を見た。

「エグいな、ノアは」

その一言で、俺は陛下が意図を理解したと確信した。

俺は頷《うなず》き、更に続ける。

「はっ、詰まるところ餌付《えづ》けでございます。餌付けをすれば、次第に向こうはこの配給分の食糧から離れられなくなります。いざという時に供給を絶つことを考慮に入れておけば、これが事実上の人質になります」

「うむ、そうだな」

「更に、この餌付けに依存しきってくれれば、万が一向こうが新たに別の供給源を求め出したら——」

「二心——裏切る前兆にもなる。ということか」

俺は静かに頷いた。

「食糧を送る、人質は要らない。恩を売るのと同時に、向こうの生命線を握る一石二鳥の策になり得ます」

「うむ。さすがだノア。よし、その案で進めさせよう」

陛下は、俺の提案に満足したようだ。

☆

次の日の朝、王宮横の十三親王邸。

封地入りした俺は、ここの管理をディランに任せた。

長年十三親王——俺に仕えていたディランは、都の屋敷をそつなく維持してくれていた。

もうしばらく都に用事がある俺は、その間この屋敷に滞在することになった。

十数年間親しんだ部屋で朝起きて、こっちに残していったメイド達に身支度させた。

さて今日は何から手をつけるか……。

「シャーリー達を呼べ」

メイドに命じるとすぐに呼びに行った。

俺はリビングに移動して、メイドに淹《い》れさせた茶を飲みながら待った。

しばらくして、二人の女がリビングに入ってきた。

シャーリー・グランズと、シェリル・ハイド。

シャーリーは俺が最初に審査官をやった時に採った唯一の騎士。シェリルはインドラと会う前に出会っていた騎士志望の女で、向上心が強く見込みがあったから、騎士選抜でゲスト審査官として潜り込み、彼女を引き上げた。

その二人が部屋に入るなり、ソファーに座っている俺に片膝《ひざ》をついて頭を下げた。

「お呼びでしょうか、殿下」

「ああ。二人の鍛錬の成果を見せてもらおうと思ってな。宿題のチェックってところだ」

「はっ！」

「承知いたしました」

二人は視線を交換して、まずはシャーリーが剣を抜いた。

「ああ、二人同時にで良い」

「えっ？　しかし」

「それでは……」

「構わん、来い」

俺はそう言い、立ち上がった。

一歩進んで、二人と真っ向から向き合う。

二人はもう一度視線を交換する。

頷き合って、迷いを振り払う。

シェリルも、剣を抜き放った。

「やあああ‼」

「はあっ‼」

シャーリーとシェリル、二人は左右から挟み撃ちするかのように、攻撃を仕掛けてきた。

俺は立ったまま動かなかった。

シャーリーの斬撃《ざんげき》が首筋に、シェリルのが腰に入った。

キーン‼

甲高い金属音が鳴り響き、火花が飛び散る。

二人の斬撃は防がれた。

「もっと来い」

「「はっ‼」」

二人とも俺が審査官をやって選出した騎士だ。

審査した時と同じやり方だったから、二人とも攻撃に躊躇《ちゅうちょ》はなかった。

俺は身動《みじろ》ぎもせず、それを受け止めた。

鎧《よろい》の指輪と、レヴィアタンら五体による「絶対防御」で。

最初にこれをやったのはレヴィアタンだけだった。

水の魔剣と鎧の指輪がリンクして、体から離れたところに自動防御の盾を出す。

そのやり方は、俺も、そしてレヴィアタンらも徐々に慣れてきた。

今や、体にほぼくっついているような薄い皮一枚程度の防御膜を張れるようになった。

更に、レヴィアタンだけじゃなく、バハムートやフワワ、ベヘモトにアポピスと。

それぞれ得意が違うこいつらは、得意の攻撃をより弾《はじ》けるようになった。

レヴィアタンなら水や斬撃を正確に防げて、バハムートは炎や格闘をほぼ無効化出来る。

体に皮のように張っているから、傍《はた》から見れば、俺が何もせずに一方的に二人に斬《き》りつけられているように見えるが、実の所かなりの余裕がある。

それは、俺が涼しい顔で立っているのに対して、猛攻撃を仕掛けている二人は既に汗だくになっていることからも窺《うかが》える。

二人の猛攻は実に五分間続いた。

息を止めての猛ダッシュを五分間したようなものだ。

二人はすっかり息が上がって、その場で膝をついてしまった。

「うむ。二人ともよくやった。シャーリーは一撃の重さ、シェリルは手数の多さにますます磨きが掛かったな」

「あ、ありがとうございます……」

「殿下こそ……ますますすごくなられて……」

「殿下との距離がますます遠のく一方です」

「お前達もまだまだ伸びしろがあるように思える。もっと励むといい」

「「はっ‼」」

二人は声を揃《そろ》えて応じて、剣を納めて息を整えた。

慰める為に言ったのではない、シャーリーもシェリルも、前に鍛錬の成果をチェックした時に比べて上達している。

このまま精進すればまだまだ強くなる余地はある、俺は本気でそう思った。

パチパチパチ。

ふと、リビングの中に拍手の音が響いた。

見ると、いつの間にかヘンリー兄上が来ていた。

「兄上、いつの間に」

「今来たばかりだ。ああ、使用人達を責めてやるな、俺が報《しら》せなくていいと言ったんだ」

「そうですか。どうぞ」

俺はシャーリーとシェリルに「もういい」と言って下がらせて、兄上と一緒にソファーに座った。

前と同じように兄上を上座に通して、俺は下座に座る。

「さすがノアだ。あの二人が強くなったと言っていたが、ノアはそれ以上に伸びているのではないか？」

「そうですね、そこそこです」

「ふむ。それはいいのだが、あのやり方はさすがに危険ではないのか？　万が一ということもあるだろう？」

兄上は当たり前の疑問を呈した。

「あの二人にはそれだけの価値がありますよ」

「ほう？」

「いざって時に俺は二人を信用したい、だから二人の力を常に把握しておきたい……自分の身をもって。実際に体験した方がより分かるというものでしょう」

「お前はやっぱりすごいな。理屈は分かるが、同じことをやれって言われても、私にはできん」

「やせ我慢をしているだけですよ」

「貴族の特権か」

ヘンリー兄上は「ふふっ」と笑った。

「それよりも兄上、俺《おれ》に何か用があったのではないですか?」

「おお、そうだった」

兄上は居住まいを正して、改まった感じで、俺を見つめてきた。

「ノアに頼みたいことがあって来た」

「俺に頼みごと?」

思わず身構えてしまった。

ヘンリー兄上、第四親王。

地位は俺と同じ、歳《とし》は親子ほども離れている。

そんな兄上が、改まった感じで聞いてきたとなれば、思わず身構えてしまうものだ。

「ああ、深刻な話ではない。私が多くの芸人を抱えていることは知っているな」

「ええ」

俺は頷《うなず》いた。

兄上も、貴族の義務を励行している。

画家、音楽家、その他の芸事をしている人間を支援している。

貴族として、それが出来れば出来るほど貴族の面目が立ち、称賛される。

俺がアリーチェを支援したのもそういう理由からだ。

「少し前に絵の才能が素晴らしい少年を見つけた。身震いするほどの才能だ」

「兄上にそこまで言わせるなんて……余程ですね」

兄上は俺の言葉に頷いた。

「生活に困窮していたから、まずはそれなりの援助をしたのだが、それだけでは足りないと思ってな。だから、ノアに育ててほしいのだ」

「なんで俺なんです?」

「アリーチェ」

兄上はそう言って、にこりと微笑《ほほえ》んだ。

「お前が育てた歌姫は帝国中にその名を轟《とどろ》かせている。陛下ですら、お忍びで店に聴きに行くほどだ」

「何ですって!」

ガタン! ソファーにぶつかって音を立てるほどの勢いで立ち上がった俺。

「陛下が?」

「ああ。しかも一度や二度ではない。アリーチェが都にいる時はかなりの頻度でだ。更に驚くことに、だ」

兄上は感心したような、苦笑いしたような、どっちともつかないそんな顔をして。

「あの陛下が——三十人以上の子を成しているあの陛下が。まったく抱こうとせず、ただただ歌を聴きに行っているだけなのだ」

「……おおぉ」

それはすごい、俺もびっくりした。

この前、第十七親王が生まれた。

それはつまり、陛下の子供が、男だけで十七人いるということだ。

女の子供——内親王も含めれば三十人は優に超えている。

三十人も子供を作るほど陛下は性欲が強いのだが、アリーチェにはまったくそうしていないという。

アリーチェは決して美しくないわけでは、ない。

そのアリーチェの所に行って、歌を聴くだけ。

陛下をよく知る、そしてその成果である俺達は、それがどれほどすごいことなのかがよく分かる。

「その、アリーチェを育てたお前に頼みたい」

「俺に」

「お前だけが頼りだ、ノア」

兄上はそう言って、真《ま》っ直《す》ぐ俺を見つめた。

お前だけが頼り。

そう言われては、断るわけにはいかない。

俺は、兄上から画家の卵を引き取ることを決めた。

☆

兄上が帰って、画家の卵をさてどうしようか、と考えていた。

メイド達に給仕してもらって、茶を飲みながら、くつろぎつつ考えた。

ふとドアがノックされて、接客のメイドが入ってきた。

セシリーではない、都の屋敷に残していった別のメイドだ。

「ご主人様、バイロン・アラン様がお見えになりました」

「バイロンが？　通せ」

「かしこまりました」

接客メイドが一旦《いったん》出ると、ほぼ入れ替わりでバイロンが入ってきた。

なにやら急いでいるのか、普段はきっちりセットしている髪が乱れ、額に大粒の汗が浮かび、息を切らせている。

「どうした、そんなに慌てて」

「し、失礼しました……お前達」

バイロンは振り向き、今まさに入ってこようとする彼の部下達を急《せ》かした。

部下達は幾つもの箱を運んで、部屋の中に並べた。

「それは？」

「はっ。まずはご報告を。エイダ様がご懐妊なされました」

「ほう」

エイダ。

俺の手引きで王宮に入り、陛下の目に留まって、庶妃になった女だ。

もともとバイロンの下についていた女だったが、妃になったことで立場が逆転して、今や「エイダ様」と呼ぶ立場だ。

「良かったな」

「ありがとうございます！　これも殿下のおかげです」

「ん」

「つきましては――」

バイロンはそう言いかけて、振り向き、彼の部下達に目配せした。

部下達は一斉に運んできた箱を開けた。

箱の中は、びっしりと金貨が詰まっていた。

「すごい……こんなの見たことない」

俺の背後で、給仕していて、今は控えている若いメイドがぽつりと漏《も》らした。

箱一杯に詰められた金貨。

この量だと――ざっと10万リィーンってところか。

「殿下のご尽力への、ささやかな気持ちです」

「分かった、貰《もら》っとく」

「ありがとうございます！」

俺はメイドを呼び、箱の金貨――金をしまう所を案内しろと言いつけた。

メイドとバイロンの部下が一緒に出ていって、ここから機密な話になっていくから、給仕してる若いメイドも下がらせた。

部屋の中には、俺とバイロンの二人きりになった。

ソファーに座って、向き合う俺達。

「実は、もう一人――レベッカ妃もご懐妊が分かったのです」

「なるほど」

いやはや、さすが陛下だ。

ここに来て更に二人子供追加とはな。

というか、例の避暑地へ庶妃達を連れて行ったあれ……あれの結果が今出たってことことだな。

「つきましては、どうすればいいのか、殿下にアドバイスを頂ければ、と」

「向こうにも後見人が？」

「はい。実は既に向こうは動き出しているとのこと」

「お前は？　もう何かしたのか？」

「いえ、殿下にお話を聞くまでは余計なことはすまいと。まずはここに伺《うかが》った次第でございます」

「そうか。なら何もしないでいい」

「え？」

「むしろ、現状命拾いしたかもな」

「そ、それは……？」

驚くバイロン。

命拾いという言葉に瞠目《どうもく》する。

「……どういう、ことなのでしょうか」

俺は声を低く押し殺して、バイロンに答えた。

「陛下は、二度の謀反で嫌気が差している」

「――っ！」

話の内容の重大さに、バイロンは違う意味でまた顔がった。

「親王達に色々政務をやらせているけど、兵権や、決裁権をがっつり握ってるのがその証《あかし》だ。陛下は今、権力を握ろうとする人間をこころよく思わない。内裏にかこつけて成り上がりが権利を握ろうとするなんて、一番のタブーだろうな」

「な、なるほど……」

「だから、何もしない方がいい」

さっきのアドバイスに戻って、それをもう一度口にすると、今度はハッとしたバイロン。

「し、しかしそれではいくら何でも」

「急がば回れ――いや、負けるが勝ちってヤツだ」

「負けるが……勝ち」

「何もせず、むしろ積極的に身を引くのがいいと思う。同時期に懐妊した方の、お前と同じ立場の人間が積極的に動いているとなれば、それはいい対比になる」

「あっ……」

やっと分かったようだな。

「だから何もするな、むしろ積極的に退くべきだ」

「なるほど、さすが殿下！　素晴らしいアイデアです！」

バイロンは思いっきり喜んだ、そして胸を撫《な》で下ろした。

10万リィーン分の金貨を担《かつ》いで急いでやってきたのと同じように。

俺から話を聞いてなければ、次の瞬間嫡妃に昇進するであろうエイダの為に色々動いているところだろう。

「そもそもな」

「そもそも？」

「今の陛下は実に名君だ。数百年に一人ってレベルの」

「はあ」

それは分かってるけど、それがどうした？　って顔をするバイロン。

「権力を取りにいこうとする行為なんて、いくら上手《うま》くやっても陛下に筒抜けだ。そういう意味でも、何もしない方がいい」

「まったくもっておっしゃる通りでございます！」

バイロンはそう言って、立ち上がってドアを開けて、外にいる彼の部下に手招きをした。

「今すぐ店に戻って、もう10万リィーンお持ちするのだ」

「はっ」

お礼の上積みは、それだけ彼が「命拾いした」と思った度合い、そのままだった。

58
言行一致

バイロンの部下も、俺《おれ》のメイドも。

箱に入った金貨共々部屋から退出した後、残った俺とバイロン。

再び向き合った俺達。

バイロンは咳払《せきばら》い一つして——表情が変わった。

さっきまでとは違う真顔になった。

「殿下に……お願いしたいことが」

「ん？　なんだ」

「シンディーのことです」

「彼女がどうかしたか？」

それに、バイロンのこの表情はなんだ？

彼のこんな表情は初めて見る、どういうことなんだ？

「嫁ぎ先を考えておりまして」

「なるほど。たしかシンディーは今年で……」

「十九になります」

「うむ、そうだったな」

出会った時は十歳だった。

俺の四つ年上で――そうか、出会ってからもう十年近いのか。

「そろそろ行き遅れですし、賢く育ったのはいいのですが、その分相手が……」

苦笑いして、ため息をつくバイロン。

シンディーはバイロンが見出《みいだ》して、養女にした女だ。

賢いまま育ったのはいいが、それで行き遅れるのは養父として胸中複雑だ、ってことか。

「たしかに、二十歳にもなろうかってのに嫁いでないのは外聞がよろしくないな」

「はい。つきましては……殿下にご紹介いただけないかと」

「俺に？　……なるほど」

話は完全に分かった。

主君が部下の婚姻を斡旋《あっせん》するのは珍しいことではない、いや、むしろ当たり前だ。

シンディーは賢いし、働き者だしで俺も失念していたけど、このままでは俺のメンツにも関《かか》わる。

バイロンは俺の部下、つまりシンディーは実質俺の家人だ。

つまり、俺はシンディーにとって父親に近い存在でもある。

娘が行き遅れでまずいのは俺も一緒だった。

「しかしな……うーん」

「何か」

「難しい話だ。シンディーの才能が惜しい。あれは俺に付き従っている人間の中でもトップレベルに有能な部類だ。むざむざ他の男に渡すのは惜しい」

「それまでに評価を……ありがとうございます」

シンディーの得意が内事なら側室にしたのだがな。

屋敷に宦官《かんがん》を使うのと同じことで、正室側室は基本外には出さない――他の男と接触させないものだ。

シンディーという才能を家の中に閉じ込めておくのはもったいなさ過ぎる。

「人選はじっくり考える。彼女はいずれ総督にして封地の一角を任せたいと思っている。半端《はんぱ》な男じゃダメだ」

「ええっ！」

バイロンは声を上げて、目を見張った。

「どうしたそんなに驚いて」

「そ、総督ですか？　女の総督は前代未聞では……？」

「前代未聞だが、ダメって決まりもない。何となくいないだけだ」

皇帝や皇族の正室側室に宦官をつけて他の男から遠ざけるのはちゃんと決まりがある、宮内省の内法で決まっている。

それに比べて、高官に女がいないのは「なんとなく」でしかない。

なんとなくなら、従う理由もこだわる理由もない。

「人は宝だ。そもそも女は全臣民の半数を占めている。才能も男だけで掬《すく》った場合に比べて女も掬えば倍近くにはなる。見て見ぬ振りはもったいない」

「さすがでございます、その発想まではありませんでした」

「とにかく、シンディーのことは俺に任せろ」

「はい！　ありがとうございます！」

☆

翌日、昼過ぎくらいになると、いきなり宦官が来て、俺を王宮に呼び出した。

王宮に行って、書斎で陛下に謁見《えっけん》する。

以前のことがあって、この書斎の宦官は耳と舌をきっちり潰《つぶ》した人間に全部入れ替えた。

その書斎の中で、陛下に片膝《ひざ》ついて頭を下げる。

「召喚に応じ参上いたしました。本日はどのようなご用でしょうか」

「よく来たノア、顔を上げよ。朝礼で諮る前に、お前の意見を聞いておこうと思ってな」

「はっ……どのようなことでしょう」

「西で、クルゲのギャルワンが動いた」

「なんですって⁉」

頭がかつん、と殴られた様な衝撃を覚えた。

クルゲのギャルワン。

クルゲというのは宗教の名前で、ギャルワンは代々そこの最高指導者の名だ。

ギャルワンは「転生」という形で受け継がれ、前のギャルワンが没した直後に、なんらかの形で新しいギャルワンが指名される。

今のギャルワンはギャルワン六世。

かなりの野心家であると知られている人物だ。

「反乱でしょうか」

「それしかないだろう。しかも、トゥルバイフに使者を送ろうという動きがある」

「……なるほど」

顔が深刻になるのが自分でも分かった。

トゥルバイフは西にある帝国の属国で、これまたいつ裏切ってもおかしくない、不穏な動きが続いてるところだ。

「お前ならどうする、ノア」

俺を見つめる陛下。

その目――なんだか試されている気がするけど、事態が事態だ、気のせいだろう。

俺は考えた。

「クルゲの動きは確かなのでしょうか」

「ああ、そっちは間違いない。使者は今のところまだ出発していないようだ」

陛下は言い切った。

これまでの、陛下の耳目のすごさを身を以《もっ》て体験している、この前提条件は間違いないだろうと思った。

ならば。

「……今すぐ兵を出すべきです。電光石火に動き、まずはクルゲを叩《たた》く」

「電光石火、か？」

「はい。同時に厳重態勢を敷き、トゥルバイフの所に使者が辿《たど》り着く前に止めるのです」

「なぜそうするのだ？」

「大前提として、二正面作戦は避けるべきかと。トゥルバイフが乗ってしまえば討伐《とうばつ》自体手こずるし、後始末も大変でしょう。しかし、使者がそもそも辿り着いていないのであれば……」

「……トゥルバイフは何も知らなかった、で押し通せる」

「その通りでございます。トゥルバイフはいずれなんとかしなければならない相手でしょうが、今はまず、討伐の対象を絞るべきかと」

「なるほど。うむ、ノアの意見を聞いておいてよかった。いつもながらすごいな、お前は」

「恐縮です」

どうやら意見は気に入ってもらえたようだ。

「せっかくだ、ノア、お前が行ってくれないか」

「俺が、ですか？」

首を傾《かし》げる俺。

「うむ。クルゲの討伐だ」

「それはヘンリー兄上の方が適任かと」

俺は即答した。

まったく迷うことなく答えた。

「ヘンリーが？　なぜ」

「親王の中で、実際に兵を率いたことがあるのは兄上だけです。しかも兄上の騎士、ライス・ケーキは用兵に長《た》けている。故に兄上が適任だと俺は思います」

一気に言い切ると、陛下は何故《なぜ》か、瞠目《どうもく》するほど驚いていた。

その驚きは実に十数秒間続いた後、陛下は首を傾げながら更に聞いてきた。

「お前も相当強くなったのでは無いか？　騎士も育っていると聞く」

「俺達のは個の武勇です」

俺はまったく揺らぐことなく、陛下を見つめながら答えた。

「兵を率いるのに適しているか分かりませんし、経験もありません。此度《こたび》の大任、荷が勝ち過ぎています」

「なるほどな……」

陛下はそう言い、俯《うつむ》き加減で、白い髭《ひげ》を撫《な》でながら呟《つぶや》く。

「昔は出来ても、力を手に入れた後同じことが出来る人間は少ない」

「？」

「負けるが勝ち……言行は一致していて当たり前、ということか」

呟きが段々と小さくなっていき、最後の方は何を言ってるのかまったく聞き取れなかった。

何かまずいことでも言ったのだろうか。

いや、そんなことはないはずだ。

それにたとえまずかったとしても、自分のポリシーに沿った発言だ。

胸を張って陛下の沙汰《さた》を待つのが筋というものだ。

俺は狼狽《うろた》えずに、陛下を見つめて、次の言葉を待った。

しばらくして、陛下は顔を上げた。

その顔は賛美の——満足したような顔だった。

「お前はすごいな、ノア」

「恐悦です」

何を褒められたのか分からないが、陛下の下賜はたとえ自害用の毒薬だろうと恭《うやうや》しく受け取るべきもの。

いわんや褒め言葉など、だ。

「よし、ではその方向で宰相らと諮る。よく意見してくれた、これからも頼むぞ、ノア」

「はっ」

陛下が満足そうだったので、とりあえずこれで良しってことにした。

59

魔剣の扱い方

NOBLE REINCARNATION

ノアが立ち去った後、皇帝は長年の腹心である、第一宰相を呼び出した。

皇帝はノアに意見を求めた後いつもすぐに実行したり、相談したりしている。

そのため、予《あらかじ》め待機していた第一宰相は、五分と経《た》たないうちに皇帝の書斎にやって来た。

「おめでとうございます」

作法に則《のっと》って一礼した後、第一宰相はおもむろにそんな言葉を言い放った。

これにはさすがの皇帝も不思議がって。

「何がめでたいというのだ?」

「天顔がいつになく優れているとお見受け致しました。よほど嬉《うれ》しいことがあったのだと推察致します」

「ふっ、顔にも出ていたか」

皇帝は更に嬉しそうに微笑《ほほえ》んだ。

「ノアは益々、大物感が増してきたぞ」

「ほう、それは是非お聞きしたい」

第一宰相が興味を示すと、皇帝は文字通り我が子を自慢する父親の顔をして、今し方ノアとしたやりとりを一通り話した。

それを第一宰相は相槌《あいづち》を打ったりして、最後まで話を聞いてから。

「さすがですな。徹頭徹尾、貴族の道理のみで動ける方は……陛下のご子息の中でも賢親王殿下ただ一人ですな」

「うむ」

「まさに皇族の申し子でございますな」

「というわけだ。鎮圧にはライス・ケーキを使う。ヘンリーには悪いが、今は兵権を渡したくない」

「承知致しました。そのように致します」

「……それと」

皇帝はそこで一旦《いったん》言葉を切って、顎《あご》を摘《つ》まんで考えた。

こういった感じの思案顔はノアとよく似ていて、やはり親子だなと、第一宰相は密《ひそ》かに思った。

皇帝はしばし考えてから、顔を上げて言った。

「若くて、それなりに将来性のありそうな者を集めて、ライス・ケーキの討伐《とうばつ》軍に加えさせよ」

「承知致しました。どのような目的で？」

第一宰相は改めて聞き直した。

目的次第で選ぶ人間がはっきり違ってくるから、そこはきちんと把握しておかねばならないと考えた。

「とにかく将来性があればいい。それと誰の、家人でもないのが条件だ」

「ふっ、なんでそんなことを、って顔をしているな」

「……はっ」

第一宰相は少し顔を赤らめて、恥ずかしそうにした。

「今のうちに、誰にも属していなくて、兵を知り実戦を知る若者を育てておきたいのだよ。次の皇帝が誰になろうとも使える無所属のを、な」

「なるほど！」

皇帝になった皇子が、他の親王の家人を重用できることはほとんどない。

使いやすさにしろ、あるいは純粋にひいきするにしろ。

どうしたって、自分の家人を重用するものだ。

皇帝は兵権を握って離さない。

そのため、親王の家人が実戦を知る機会はほとんどない。

次の皇帝の為に、使えるニュートラルな立場の人間を用意したいというのが皇帝の考えだ。

その発想はやはりノアとよく似ている。

そしてノアならどうしただろう？　と第一宰相は思った。

「それともう一つ。重要な話だ」

「はっ」

「余は、上皇になる」

「御意《ぎょい》」

「――っ！」

まさに青天の霹靂《へきれき》。

第一宰相は誰が見ても分かるくらい驚愕《きょうがく》した。

「ど、どういうことなのでしょうか」

「慌てるな。あくまで前の話の続きだ。良き孫で三代の繁栄を確保する。それに変わりはない」

「はっ……」

第一宰相は少しほっとした。

「だが、余も人間だ。今でこそまだやれるが、この先老化と共に判断力が落ちていくだろう。であれば判断力がしっかりしているうちに、しっかり帝位を渡した方が帝国の為にも良い――それに」

皇帝はにやりと笑った。

「この前気づいたのだ。余の息子が皇帝として活躍する姿を眺めるご隠居、というのも悪くないかもしれない、とな」

「左様でございましたか」

第一宰相は得心顔で、ぺこりと頭を下げた。

下を向いた顔は、自分でも分かるくらい驚いている顔だ。

(さすがノア様、陛下の人生まで変えてしまうとは……)

第一宰相は決して鈍くはない。

いや、むしろ宰相という立場は、皇帝とその下の大臣らの間に立って調整するのが主な仕事だ。

その分、人の感情の機微に長《た》けた者が多い。

第一宰相はすぐに分かった。

このタイミングで、皇帝にそう思わせたのはノアだ。

皇帝はノアのことをとことん気に入っている。

自分が皇帝として権力を振るうよりも、ノアが皇帝になったらどういう治世になるのかを見たいと思った。

皇帝に自ら退位を決意をさせたノア。

その才覚はますます成長している。

第一宰相は、密かにそう思ったのだった。

☆

夜、第三宰相、ジャン＝ブラッド・レイドーク邸。

王宮から屋敷に戻ると、ジャンからの招待状が届いた。

今日の夜は一席設けるから是非来てくれと。

ジャンがパーティーを開くのはよくあることだが、今回の誘い方はちょっと強めだった。

それが気になって、日が沈む頃《ころ》にやってきた。

屋敷の表に馬車が着くと、ジャン自ら出迎えに来た。

「ようこそ、おいでくださいました殿下」

「今日はどういう集まりなんだ？」

「どうぞ、中へ」

ジャンは答えなかった。

俺《おれ》は無理に聞こうとしなかった。

そのままジャンとその使用人らに案内されて、屋敷の中に入った。

屋敷の広間に案内された。

『おお！　また会えて嬉《うれ》しいです、十三親王殿下』

広間の中に知っているが、予想外の顔があった。

ルーシ・ツァーリの使者、謁見《えっけん》の間で会ったあの男がいた。

予想外だが、すぐに分かった。

ジャンはコネクションを作るのが上手《うま》く、また常にそれに力を注《そそ》いでいる人間だ。

ルーシ・ツァーリを「使う」と帝国の方針が決まりかけたと知って、接待して取り入ろうとしてるんだろう。

俺はジャンに「ふっ」と微笑《ほほえ》んで、レヴィアタンらを通して男に話しかけた。

『まだ、お前の名前を聞いてなかったな』

『これは失礼致しました。私はイワンと申します。どうぞお見知り置きを』

『イワンか。宜《よろ》しくな』

『はっ、何卒《なにとぞ》よろしくお願いします』

「いやあ、さすが殿下。ルーシ語も堪能だったとは、改めて聞いても驚かずにはいられません。さ
さ、お二人ともこちらへ」

良いタイミングで会話に入ってきたジャン。

広間に大きなテーブルがあり、彼は俺達をそこに招いた。

上座には俺、その次がイワンで、ジャンは下座に座った。

俺達が座ると、料理が運ばれてきた。

前のパーティーと違って、客が俺とイワン二人だから、量は少なく、そのかわりとことん上品で
金も手間もかけている料理が運ばれてきた。

親王の俺はそれで驚きはしなかったが、イワンは料理を口にする度にかなり大袈裟《おおげさ》に喜んだ。

心の底から喜んでいるのが分かった。

レヴィアタンらとリンクして、それで通訳をしている都合上、相手の感情が読めるというオマケ
がついた。

といっても考えが読めるとかじゃない、感情の大まかな動きだけだ。

イワンは表に出ている言葉や表情通り大喜びしているし、ジャンはニコニコ微笑みを保っていな
がらも、接待が上手くいきそうなことに安堵《あんど》を覚えていた。

ふと、イワンが給仕をするメイドの一人を見つめた。

伝わってくる感情はピンク色——性欲だ。

そういうことならば、と、俺はジャンに目配せした。

接待慣れしているジャンはそれだけで全《すべ》てを理解した。

「後ほど、使者殿のご寝所までお届けします。と伝えていただけないでしょうか」

『──と、第三宰相は言っている』

『えっ？　いや、はは、これはまいったなあ』

そう言って、後頭部に手を当てて笑うイワン。

またまた言葉と感情が一致していて、ものすごく嬉しそうだ。

ジャンも密かに、顔には出さないが喜んだ。

接待する側からすれば、寝技──つまり女を宛《あて》がって喜んでくれるのなら、これほどやりやすいこともない。

食わせて、飲ませて、抱かせる。

接待の黄金パターンで、昔からずっと変わらないし、未来になっても決して変わらないだろうなと何となく思った。

ふと、メイドの一人が気になった。

表面上は普通に見えるが、何故《なぜ》かものすごく怯《おび》えて、緊張している。

そのメイドは酒を持ってきて、イワンのグラスに注ぐ。

緊張も怯えもますます強くなる。

どういうことだ──と思っていると。

『待て飲むな！』

言葉が反射的に口から出た、イワンがビクッとした。

俺は立ち上がって、「失礼」と言ってイワンからグラスを取り上げる。

そして、匂《にお》いを嗅《か》ぐ。

「……毒だ」

「えっ？」

驚愕するジャン。

俺は更にグラスを見つめた。

人間ではなく、無機物であってもなお残存する感情。

強烈な殺意が酒に籠《こ》もっていた。

それはかつて、俺を暗殺しようとしてた連中が持っていた短剣と同質のものだった。

ジャンもイワンも、状況が理解できずに戸惑っていた。

☆

広間とは別の部屋で、待っていた俺の所に、ジャンがやって来た。

なにやら複雑そうな、申し訳なさそうな顔をしている。

「どうだった？」

「メイドが全《すべ》て白状しました。金を貰《もら》って、使者殿の酒に混ぜていたようです」

「よくそんなことを引き受ける気になったな」

「遅効性の毒で、一晩経ってから効いてくると言われたとか」

「なるほど、それなら自分が疑われることもない、と思ったのか」

「そのように話してました……いやはや、こうなって初めて分かりますよ、殿下のすごさが」

「なにが？」

「アルメリア反乱の顚末《てんまつ》をお聞きしています。メイドが裏切れずに告発をしたとか」

ああ、ゾーイのことか。

反乱軍の人間がゾーイを買収しようとしたが、俺を裏切れないゾーイがそのまま俺に知らせてきた。

「私も、部下の忠誠心には少し自信があったのですが……殿下にはかないませんでしたな」

「それよりも、暗殺を企てた者を捕まえるぞ」

「はあ、しかしメイドは『フードとローブを被《かぶ》っててどういう人間なのかよく分からない』と言っていましたが……」

「それなら問題ない」

俺は離れた所に置いてあるグラスを手に取った。

あの後、ずっと俺が持っていた毒入りのグラスだ。

それを持って、レヴィアタンとリンクする。

腕輪から、「水の糸」が伸びて、空中を進んだ。

「こ、これは?」

「道しるべだ。顚末を聞いてるのなら、俺が遠隔で首謀者を砲撃したことも聞いてるだろ?」

「はい」

「あれは厳密には失敗だった。今回はそれの応用、この水の糸がゆっくり進んで、首謀者の足あたりを撃ち抜くようにする。これについて行けば捕まえられる」

「す、すごい! そこまで考えていたとは」

「お前に任せる。人を集めてこれについて行け」

「はっ!」

ジャンは頭を下げて、人を呼びに走った。

俺とレヴィアタンのフォローで、ジャンは無事、イワン暗殺の首謀者の生け捕りに成功した。

その場でジャンと一緒に待っていると、イワン暗殺を企《たくら》んでいた者を捕まえに行ったジャンの部下達が戻ってきた。

三十歳くらいの男で、騎士の格好をしている。

その男は俺《おれ》とジャンに片膝《ひざ》ついて、騎士礼をして、報告を始めた。

「殿下の導き通りに突入したところ、五人を捕縛いたしました」

「生け捕りか？」

ジャンが身を乗り出して聞いた。そのことが今は一番気になっている、という反応だ。

「はっ……どういうわけか、突入した時には、犯人一同倒れておりました。調べましたところ、原因不明の毒で、全身がマヒしておりました」

「毒？　まさか自害か⁉」

ジャンが更に一段と身を乗り出した。

当たり前の推測を、しかし騎士はゆっくりと首を振った。

「いえ、死ぬほどの毒ではありません、ただ動けなくする毒でした」

「なぜそんなものが……」

「ああ、それは俺がやった」

「え？」

驚き、こっちを見るジャン。

俺は指輪とリンクさせて、アポピスを具現化させた。

掌《てのひら》の上に、金属的な鈍色《にびいろ》をした蛇が現れ、舌をチロチロ出している。

「第三宰相なら知っているだろうが、前にアルメリアの反乱の時は遠隔で首謀者を討《う》った」

「はい。話を聞いて、何度も詳細を確認した覚えがございます」

それほど信じられない出来事、と言外に話すジャン。

俺は頷《うなず》き、更に言った。

「それと同じ、道案内するついでに、このアポピスで遠隔的に毒を打ち込んだ。情報が伝わると自害される恐れがあったから、その場にいる全員をマヒさせた」

「なるほど！　さすがでございます！」

ジャンの目がきらりと光って、得心顔をした。

「ついでに――」

と言いかけて、騎士を見る。

「連中は何か言ってないか？」

「はっ、おっしゃる通りで……全員が『殺せ』と呻《うめ》きながら叫んでおります」

「どういうことでしょうか殿下」

「同じだよ、毒だよ。マヒさせた後、全身の痒《かゆ》さが止まらない効果の毒を打ち込んだ。効果は……そうだな、全身のいたるところを蚊に刺されたが、まったく掻《か》くことが出来ない状況だな」

俺の説明を聞いて、ジャンと騎士は同時にぶるっ、と身震いした。

「痛みに耐える訓練をしている者は多いが、痒さ、しかも掻けない痒さを我慢する訓練をした人間はそうはいない」

「まったくもっておっしゃる通りでございます。いやはや、そこで『痒さ』を持ってくるとは、さすが殿下でございます」

「というわけだ」

俺は騎士に改めて向き直って。

「今なら何でも喋《しゃべ》るだろう。上手《うま》く尋問してこい」

「はっ！」

騎士は俺に一度頭を下げてから、主であるジャンを一目見た。

ジャンが微《かす》かに頷くと、騎士は立ち上がって去っていった。

俺はジャンと適当な世間話をして待った。

今の状況なら、遠からず全部吐くだろうという確信がある。

果たして予想はぴったりと当たった。

一時間もしないうちに、騎士が再び戻ってきた。

さっきと同じように、俺達の前に跪《ひざまず》いて。

「どうだ？」

「はっ、全て吐きました。おそらくですが、嘘《うそ》は言っていないかと」

「ふむ。で、誰《だれ》の差し金か？」

「ルーシ王国の手の者でございます」

「ルーシか」

「はっ。ルーシ・ツァーリの使者が都で死ねば、決裂して帝国が困る——という目論見《もくろみ》でした」

「ふぅむ」

「なるほどな。ルーシ・ツァーリはルーシ王国からすれば反逆者だ。そうやって帝国にけしかければルーシ王国は楽できるってわけだ」

「そういうことでございますな」

分かってみれば簡単な話だった。

実際に尋問した騎士だけでなく、俺もジャンも真実だろうと感じる結果だった。

「とりあえず尋問は続けろ、念の為にだ。すぐに殺すことはない」

「はっ」

「それと……第三宰相」

「なんでしょう」

「イワンの護衛を増やしてくれ。なんとしても、無事にルーシ・ツァーリに帰還させるんだ」

「かしこまりました。お任せください」

☆

翌日、俺は屋敷を出て、久々のコバルト通りにやってきた。

人は宝だ。

その一方で、宝の中にも『宝』がある。

そういった宝を探すため、午前中はコバルト通りを巡った。

しかし宝はまったく見つからずに、最終的にはいつものアランの店にやってきた。

「申し訳ございません。殿下のお目に適《かな》うお宝は、中々……」

アランは申し訳なさそうな顔で言った。

「いや、いい。そう簡単に見つからないのがお宝というものだ」

「ありがとうございます。新しい物なら、ないわけでもないのですが」

「新しい物？」

「はっ。都から少し離れた所にあるソレルという街に、面白《おもしろ》い赤子が生まれたという話が」

「どう面白いんだ？」

「なんでも、宝石を握って生まれてきたとのこと」

「……へえ？」

それは何というか……また眉唾《まゆつば》な話だな。

人間の赤ん坊が宝石を握って生まれてくるとか。

要するに妊婦が体の中で宝石を作ったって話になる。

まるで真珠貝のような話だ。

「生まれた瞬間、その宝石が部屋の中をまばゆく照らして。かなりの吉兆ではないかと皆が噂《うわさ》してます」

「……」

眉唾な話だけど、俺は気になった。

アランが言う、吉兆。

ちょっと前に俺の「＋」を消したあの隕石《いんせき》も、吉兆という理由で献上されてきた。

吉兆、か。

俺は少し考えて、アランに聞く。

「その宝石、手に入れることは出来そうか？」

「え？　ええ、まあ」

「分かった」

俺は懐《ふところ》の中から革袋を取り出した。

出かける時に持ってきた有り金全部をアランに渡す。

「1000リィーンある、それを手に入れてくれ。足りなかったらまた言え」

「お任せください！」

アランは胸を叩《たた》いて、自信たっぷりに答えた。

また来る、と言い残して店を出た。

コバルト通りを出て、屋敷に戻ろうと思った。

ふと、立ち止まる。

目――いや俺の意識に入ってきたのは真新しい店。

普通の店とはちょっと違う外観の店だ。

中から料理らしき香りが漂ってくる。

料理なのは分かるが、何の料理かまでは分からない、初めて嗅《か》ぐにおいだ。

どういう店なのかが気になって、俺は店の中に入った。

「いらっしゃいませ」

「ここはどういう店なんだ?」

「お客さん、初めてかい」

出迎えた店員の格好の男は自信たっぷりな顔で答えた。

「うちの店主はルーシ王国の出身でね、本場のルーシ料理を提供してるのさ」

「なるほど、じゃあ適当に一人前。肉料理と野菜料理を二種類ずつだ」

「かしこまり! ではこちらへどうぞ」

席に案内されて、出された料理に口をつけた。

ルーシ料理、北方にある国だからか、脂っこくて、体が温まる煮込みの料理がほとんどだった。

味は濃いが、悪くはない。

同時に、食べてる間店の名とかを探った。

昨日の今日だ、ルーシ料理と聞いてちょっと引っかかったが、店の人間にはまったく敵意も害意もない。

ただの商売人のようで、俺が気にし過ぎただけだ。

つまりは何も問題はないのだ——料理を食べきるまでは。

一通り舌鼓を打って、店も問題なしと判断して、会計して店を出ようという段になって。

俺は無一文であることに気づいた。

「……あっ」

ついさっき、今日持って出かけた有り金をアランに渡したことを思い出した。

それで手元に金がなくなって、料理の代金を払えなくなった。

俺が懐やらポケットやらを探っても、金が出てこないのを見て、さっきまでニコニコしていた店員の眉《まゆ》が逆立った。

「おい小僧、お前まさか、ただ食いするつもりじゃねえだろうな」

「いや、そういうわけじゃ」

「だったら払え。きっかり1リィーンだ」

「……」

これは困った。

俺はどうやって払うべきかと、解決策を考えた。

しかし、相手はどうやらかなりせっかちで。

こっちに考える暇を与えてくれなかった。

「払えないってんなら警吏に突き出すぞ」

「……」

それはまずい、貴族としてあるまじきことだ。

ますます困り果てたところに、後ろから一人の男が話しかけてきた。

「その子の分も俺が払うよ」

「え？」

「ふーん？」

俺と店員は同時に話しかけて来た男を見た。

人のよさそうな男だ。

「俺のと合わせて2リィーンくらいか？　ほら」

そう言って、店員に2リィーンを渡した。

「はい、毎度あり」

店員は代金を受け取ると、再び営業スマイルを顔にはり付けた。

金さえ払えばなんでもいい、商売人の鑑《かがみ》だ。

俺は肩代わりしてくれた男に体ごと振り向いた。

「ありがとう、助かった」

「気にしないでくれ、俺もたまにサイフを忘れてしまうことがある。そういう時って焦《あせ》るよな」

「……ああ、ものすごく焦った。名前を教えてくれないか、出してもらった分はすぐに返す」

「レリックっていう、タイラー通りに住んでいる」

「タイラー通りのレリックだな。分かった――」

「――ノア様！」

背後から、今度は聞き慣れた声がした。

振り向くと、シャーリーがこっちに向かってくるのが見えた。

「シャーリーか、いいところに来た。お前、金は持ってるか？」

「え？　あっ、はい！　これくらいですが……」

「どれどれ……」

俺はシャーリーが取り出した革袋を見た。ざっと500リィーンはあるだろう。

「ひとまず借りるぞ、屋敷に戻ったら返してやる」

「はっ、殿下のご命令ならいくらでも」

シャーリーはそう言って、革袋を両手で俺に差し出した。

俺はそれを受け取って、レリックに渡した。

まるごと――500リィーン全部渡した。

「さっきは助かった。ありがとう」

レリックは革袋を見てきょとんとした、何が起こったのか分からないって顔だ。

俺はレリックに、革袋を押しつけた。

☆

店を出て、シャーリーと一緒に歩く。

「で、殿下」

「ん？」

「さっき殿下とあの男のやりとりを聞いてましたけど、1リィーン借りて500リィーン返すのはやり過ぎではありませんか？　どんな高利貸しでもそこまでは……」

「あれは、砂漠の水売りだ」

「え？」

「俺が砂漠でいき倒れていたら、普段は1リィーン程度の水を500リィーンだと言われても、俺は喜んでそれを買う」

レリックにはそれくらい助けられたのだ。

あそこで親王だと名乗り出ても良かった。

しかし、それは前もって言うべきだった。

食い逃げ犯の嫌疑を掛けられてから親王だったと言い出すのは貴族の名にものすごく傷がつく。

それはあり得ない行為だ。

貴族次第では、それを恥じて自害することすらあるほどの案件。

レリックが貸してくれた1リィーンはそれほどの価値がある。

「例え受けた恩が一滴だろうと、返す時は泉にして返すものだ」

「なるほど……さすがでございます！」

シャーリーはものすごく感心した目で俺を見た。

夜、馬車に揺られて、都の大通りを進む俺《おれ》。

地上最強の帝国、その都は、不夜城とも言われるほど夜間でも栄えている。

そんな栄えている夜の街並みを眺めていると、ふと、シャーリーの強張《こわば》っている顔が目についた。

馬車の横に並んで一緒に歩いてる彼女は、何か決意にも似た、ものすごく険しい顔をしている。

「どうしたシャーリー。何か緊張しているのか?」

「は、はい。殿下のご安全を、一命に代えてもお守りします!」

「本当に急になんだ、その決意は。今日はオスカー兄上の誘いで、ヘンリー兄上を交えて三人の小宴会だ。そんなに気張ることはないぞ」

「だからこそでございます」

シャーリーはますます意気込んだ。

大通りの夜店で客の一人が食器を落として割った。

それをシャーリーがパッと振り向いて、剣の柄《つか》に手をかけて今にも飛び出さんばかりの勢いだ。

神経が過敏になっているのがよく分かる。理由はまだ分からないが。

「なんだ、だからこそってのは」

シャーリーは俺を見て、押し殺した声で答えた。

「今の情勢、誰《だれ》が見ても分かります。次の皇帝陛下はヘンリー様、オスカー様――そしてノア様。このお三方の誰かだということが」

「……」

俺は答えなかった。

相槌《あいづち》すら打たないのは、シャーリーが声を押し殺したのと同じ理由だ。

一方で、最初こそ小声だったが、話しているうちに勢いがついて、声は小さいままながら言葉が流暢《りゅうちょう》になってきた。

「その当事者であるオスカー様が、ヘンリー様とノア様を招いての宴会……只で終わるわけがありません。警戒はしなければ」

「なるほど、話は分かった。だが、そういうことなら大丈夫だ」

「え？」

俺があまりにも軽い調子で言い切ったので、シャーリーが虚を衝かれたかのように驚いた。

「ど、どうしてですか？」

「アルバート、ギルバートの一件の後、陛下は帝位の簒奪《さんだつ》には神経を尖《とが》らせている」

「あっ」

「ヘンリー兄上、オスカー兄上、それに俺。この三人に絞られたのは傍《はた》から見てそうだろう。だからこそ、俺たちは争うことは出来ない。表だってはな。少なくとも今夜、こんな風に呼び出して何かされることはあり得ない。むしろ、何かあっても、オスカー兄上は自分の命に代えても俺とヘンリー兄上の身を守るだろう」

「そういうのは思いつきませんでした……さすがです」

俺はシャーリーにニコッと微笑《ほほえ》みながら。

「実際、そうなっている」

と言った。

シャーリーは「え？」と目を見開き驚いた。

「注意深く周りの気配を探ってみるといい」

俺に言われて、シャーリーは鋭い目で、周りの気配を探り出した。

「これは……遠巻きに守って、いる？」

「そういうことだ」

俺はにやりと笑った。

オスカーの手の者が、俺達が十三親王邸を出てからずっと遠巻きに付いて来ている。

俺自身はそこそこの能力があって、そばに一番信頼している騎士のシャーリーを付けている。

それでも用心しての、遠巻きの護衛だ。

「い、いつ気づいたのですか」

「屋敷を出た直後だ」

「そ、そんなに前から!?　すごい……私、全然気づかなかった」

「ふっ」

シャーリーの緊張と、過剰な警戒心が程よく解《ほぐ》れた。

俺は馬車の上から真《ま》っ直《す》ぐ前を見て、考えた。

シャーリーには言わなかったが、オスカーの真意もある程度読めている。

シャーリーに言ったのは、あくまで「今夜は何も起こらない」ことの理由だ。

オスカーが敢《あ》えて、この三人で集まると言い出した理由ではない。

陛下からすれば、傍目《はため》から見ても分かるくらい絞られた、俺達三人が仲良くしているのが一番だ。

俺達三人が普段から反目していれば、誰に帝位を残した方がスムーズにいくのかという心配が出てくる。

諍《いさか》いのレベルによっては、俺達三人以外の誰かにした方がすんなりいく、という考えに行き着いても不思議はない。

しかし俺達が仲良かったらそういうこともなくなる。

オスカーは、それを演出しようとしている。

その証拠に、俺がギャルワンの討伐《とうばつ》にライス・ケーキを推挙したら、オスカーは全力で賛成して後押しをした。

オスカーの性格は、よく五番目の兄上、マイル・アララートと引き合いに出される。

二人とも、温和で人当たりが良いという評判だ。

ただし、マイル兄上は素で人当たりが良くて、誰からも「野心はゼロ」だと思われているのに対し、オスカーは人当たりが良さそうに見えても、常に何か企《たくら》んでいるような性格。

だから今夜のも、陛下の耳目がすごいのを承知の上で、俺をこっそり護衛するのも陛下に知られる、までを計算した上でやっている。

だから、今夜は何もない。

果たして、俺と二人の兄は。

久しぶりに国事関係なく、集まって、和《なご》やかな会食の一時を過ごした。

☆

翌日、屋敷に骨董商のアランがやって来た。

応接室ではなくリビングで、座ったままアランを出迎える。

「殿下のご所望の品、手に入れて参りました」

「例の宝石か」

「はい」

「そうか――にしては浮かない顔をしているな。どうした」

「実は……」

アランは苦虫を噛《か》み潰《つぶ》したような顔で、複数の宝石箱を取り出して、俺の前に並べた。

箱の蓋《ふた》を開けると、中にはいくつもの――見た目がほとんど同じ宝石があった。

美しい赤色のルビーが、全部で六個あった。

「どういうことだ？」

「手前のミスでございます。一刻でも早く取り寄せようと、殿下ご所望の品だと使いの者に行かせたら、それが漏《も》れて、似たようなものを競って差し出されまして」

「ふむ」

「少なくとも、五個は偽物《にせもの》でございます……」

「あはは。物が物だ、六個全部が偽物という可能性もあるな」

俺は笑いながら言った、アランはちょっとだけホッとしたようだ。

元々が「手に握って生まれてきた」という眉唾物《まゆつばもの》の宝石だ。

それからして偽物という可能性が多いにある。

自分のミスで恐縮していたアランは、俺がそのことを冗談につかって笑い飛ばしたことで、ちょっとだけホッとした。

「どうにかしてからと思ったのですが、手前には見分けをつける能力はございませんでしたので……」

「ふむ……あっ」

「いかがなさいました？」

「あったぞ本物が。これだな」

全部のルビーを順番に手に取っていった俺は、六個のうちの一つを持ったまま余所見をしていた。

「お解《わか》りになるのですか？」

「ああ」

俺は宝石ではない、視界の隅っこを見ていた。

隅っこに常にある俺のステータス、それが宝石を持った瞬間変わっていた。

名前：ノア・アララート
法務親王大臣
性別：男
レベル：15／∞
HP　C＋D　火　E＋A
MP　E＋E　水　C＋S
力　C＋A　風　E＋F
体力　D＋E　地　E＋D
知性　E＋D　光　E＋C
精神　E＋D　闇《やみ》　E＋C
速さ　E＋E
器用　E＋D
運　E＋D

ほんのりだが、ＨＰの「＋」が一段階上がっていた。

「ほ、他の五つと何が違うのでしょうか」

「……見ていろ」

宝石から伝わってきた感情が、頭の中で文字ではなく、絵のような光景で浮かび上がった。

それを実現するために、俺はレヴィアタンを抜いた。

レヴィアタンを真上に放り投げて、それがぐるぐると地面に落ちてくる。

すぅ、と腕を伸ばして、レヴィアタンの落下点に割り込む。

「――っ！」

アランが息を呑《の》んだ。

ぐるぐる回るレヴィアタンが俺の腕に当たって――弾《はじ》かれた後地面に突き刺さった。

「ど、どういうことなのですか？」

「見ろ」

「さっきのルビー……あれ？　ちょっと欠けてる」

「こういう物らしい。持っていると、主のケガや病気の身替わりになるようだ」

「そんな効果の宝石初耳です。さすが殿下、よく見抜かれました」

「ふっ」

「しかし……そうなると残念ですな」

アランはルビーをのぞき込みながら、言葉通り残念そうな顔で呟《つぶや》いた。

「身替わりになると破損する……すごいがこれでは使い切りでしかない」

確かにそうだ。

それに、破損するという言葉を聞いて、ルビーの身替わりの効果を発揮させるのはもったいないと思った。

「ん？」

ルビーのおかげで、ＨＰの「＋」が一段階上がった。

身替わりになって砕け散るよりは、そのまま持っていた方が良いと思った。

「いかがなさいました？」

「これは……」

ルビーからまた別の映像が頭に流れ込んできた。

映像を読み取った後、考える。

一通りのシミュレートが頭の中で完成してから、俺は鎧《よろい》の指輪をつけた。

指輪で、ルビーと同じ見た目の外見の塊を作り出してから、地面に突き刺さったレヴィアタンを引き抜き、ルビーを砕いた。

「ああっ！　な、なにを⁉」

驚愕《きょうがく》するアラン。

しかし俺は新しく、鎧の指輪で作ったのを見つめて、更にステータスを見た。

ステータスは変わらなかった、つまりルビー——だった物はまだ生きている証拠だ。

そしてもう一度、今度は強めに自分を斬《き》る。

すると、鎧の指輪で作ったのが砕け散った。

俺の体は、当然ケガ一つない。

「な、なんと！　もしやあのルビーを量産したのですか？」

驚くアランに説明する。

「ちょっと違う、ルビーに取り憑《つ》いてたのを、新しい依《よ》り代《しろ》を用意してやっただけだ」

そう言いながら、鎧の指輪で更に作る。

ルビーとまったく同じのを、もう一度。

「と、と言うことは……何度でも使える……？」

「ああ」

「す、すごい……」

アランは、言葉を失うほどびっくりしていた。

62 族長の娘

NOBLE REINCARNATION

レイド通りの、キースの店。

店の中で、アリーチェがいつもの如《ごと》くハープを奏《かな》でながら歌っている。

それを一番良い席で、陛下が聴きいっている。

時には真《ま》っ直《す》ぐ見つめて、時には目を閉じて体を揺らしながらリズムを合わせて。

陛下は、アリーチェの歌を堪能していた。

その陛下の背後で、俺《おれ》とクルーズが控えるように立っていた。

俺は、アポピスを使いこなした。

店でしか歌わない、誰《だれ》かの屋敷に行っての独演会はしないというアリーチェのこだわりに合わせて、陛下はお忍びでキースにやってきた。

当然、周りにかなりの客がいる。

よほどのことでもない限り、俺が一緒にいるんだから、陛下に危害を加えられるものはいない。

だが、空気を読まない連中が陛下の楽しんでいる気分を害する可能性が大いにある。

そうならないように、アポピスで対策した。

薬と毒は紙一重だ。

人間に効く薬は、大抵は毒性を弱めた毒でしかない。

俺はアポピスを使って、店の中の客を全員眠らせた。

いびきをかかれても困るから、そうならないようにある程度マヒさせて、体の自由も奪った。

ここに来てるのは全員がただの客、誰一人としてアポピスの毒に対抗出来ず——するそぶりもなく俺に眠らされた。

結果、陛下の鑑賞会は物静かな中、無事に執り行われていく。

それでも俺は念のためにと、周りを見回して警戒した。

ふと、同じように控えているクルーズと目が合った。

——さすがでございます。

彼は唇だけを動かして、声を出さずに言ってきた。

簡単な言葉だったから、唇の形で分かった。

気づかれたか。

宦官《かんがん》という人種は、貴顕に仕えるのが仕事だ。

ただの使用人とは違って、宦官は去勢したから、もはや宦官しか出来ず、その結果仕える能力——貴顕を気持ち良く過ごさせるスキルに特化していく。

クルーズはその中でも更に突出して、「皇帝」に仕え続けた宦官。

ただの貴族よりも遥《はる》かに権力を持つ皇帝、それに仕えるクルーズはよりそのスキルに長《た》けている。

そのクルーズが「さすが」と言ってるのなら、陛下に楽しんでもらうためのこの行為は正しいというわけだ。

俺はそのまま、アポピスを使役し続けて、陛下の鑑賞環境を維持し続けた。

☆

幕間になって、アリーチェが一旦《いったん》舞台裏に引っ込んだ。

直前に客全員の眠りとマヒを解いたので、店の中は拍手に包まれた。

ほとんどの客は狐《きつね》につままれた顔をしていたが、それでも周りに流されて拍手をした。

「そうだ、ノアよ」

「なんでしょうか」

「南方の、サエイ族との戦いが一段落したと聞く」

「サエイ族、ですか」

なんで今そんな話を、とちょっとだけ思った。

帝国は戦士の国、国境のどこかで、常に戦争や反乱の鎮圧が行われている。

南方では最近、サエイ族という、森に住み帝国に恭順しない一族との戦いが行われていた。

「論功行賞をしているのだが、ジェリー・アイゼンという男が特に働いたと報告があった」

「ジェリー……へえ」

あの盗賊団の男か。

俺が捕まえて、従軍刑という形で軍に送ったんだが、意外と早く頭角を現してきたな。

「局地戦で負けた後、そのジェリーなる男が残存兵をまとめ上げて、敵を押し返したという。まさに獅子奮迅《ししふんじん》の活躍だったらしいぞ」

「そうでしたか」

「その者が言うには、ノア、お前の恩義に報いたいそうだ」

「俺の恩義、ですか？」

「新しい、希望の見える第二の人生をくれた。いわば父のような存在だ」

「父」

俺は半分棒読みで呟《つぶや》いた。

ジェリーという男に含みはないが、あんな男に父親呼ばわりされるのは妙な気分だ。

そもそも、年齢でいえば向こうは俺の倍はあるだろうに。

「さすがだ、ノア」

陛下は上機嫌な顔で言った。

「盗賊だった男が使える兵になった。しかも兵をまとめ上げ、手足の如く動かしたとなれば将才もあろう」

そりゃそうだ。

元々が盗賊団のリーダーだった男だ、兵をまとめる力はあると分かっていた。

「その男を見出《みいだ》し、しかるべき場所に送り込んだ。相変わらずすごいな、ノアは」

「人は宝、そして可能性です。陛下」

「うむ、まさしく可能性が実をつけた瞬間だな」

陛下は嬉《うれ》しそうに笑った。

「これからも励めよ」

「はい」

☆

演奏が終わった後、もう少し街を見て回りたい、と陛下が言い出したから、俺は護衛も兼ねて同行した。

レイド通りを出て、ホース通りにやってくる。

帝都で一番賑《にぎ》やかなホース通り。

巨大な広場があることもあって、出征の儀典とか、大祭りとか。

大きなイベントがここで行われることが多く、普段からもかなり賑わっている所だ。

「むぅ？　あれはなんだ？　何かの売り物か？」

陛下は広場の真ん中にある露店に興味を示した。

ぱっと見露店という形だが、商品が普通ではない。

口を紐《ひも》で結んだだけの、巨大な麻袋がいくつも並んでいるだけの、シンプルな露店だ。

「あれは奴隷商でございます」

「奴隷？」

「はい、ちゃんとした、認可を受けている奴隷商でしょう」

俺はそう言いながら、露店の商人に近づいた。

陛下とクルーズがついてきているのを尻目《しりめ》でちらっと確認してから、商人に聞いた。

「これはどこからの奴隷なんだ？」

「入荷したての、サエイ族の奴隷でございます。はい」

「サエイ族との戦いに勝ったんだ」

俺はすっとぼけて、しかしこういう時にする当たり前の話をした。

帝国は常にどこかで戦っている、刑罰の中に従軍刑なんてものがあるのもそのためだ。

そして、帝国は常に勝ってきた。その都度大量の捕虜を獲得してきた。

捕虜の大半は、認可された奴隷商に流れる。

どうでもいい身分の奴隷は、こうして麻袋に詰められて、文字通り一山幾らかっていう売られ方をする。

「なるほど、奴隷の売り買いはこうやってされるのか」

背後から、陛下が面白《おもしろ》そうだ、って感じで呟いた。

俺は振り向き、陛下に軽く頭を下げて。

「はい、旦那様。何人か買っていかれますか？」

「これでいくらだ？」

「一袋10リィーンでございます」

商人は営業用のスマイルを浮かべながら答えた。

「それは安いのか？　高いのか？」

陛下が更に聞くと、今度は俺が答えた。

「10リィーンですと、袋に絶対服従の魔法が掛かっているタイプでしょう」

「魔法？」

「はい、袋を開けて、最初に見た人間を主として、いかなる命令も絶対に遵守《じゅんしゅ》する魔法です」

「まるで雛鳥《ひなどり》のような話だな」

「この袋はそういう意味合いもあります」

「なるほど」

陛下は興味津々に麻袋を眺めた。

もしかしたら買っていくかもしれない。

絶対服従の魔法が掛かっているので大丈夫だが、俺は念のため、袋の上から触って、何か武器とか隠してないかとチェックをした。

「むっ？」

「どうした、ノア」

「いかがなさいましたかお客様」

「この袋……」

袋に触れたままじっと見つめる。

やっぱり、間違いない。

俺は懐《ふところ》から10リィーンを取り出して、商人に放り投げた。

「これをもらうぞ」

「はい、毎度あり」

「どういうことだノア」

「しばしお待ちください」

俺は袋を縛っている紐《ひも》を解いた、中から一人の少女が姿を見せた。

ぼさぼさの頭に、ぼろ布のような奴隷服。

ありがちな格好だが、俺が見てるのはそこじゃない。

視界にある、俺のステータスだ。

名前：ノア・アララート

法務親王大臣

性別：男

レベル：15／∞

HP　C＋D　火　E＋A

MP	E+D	水	C+S
力	C+A	風	E+F
体力	D+E	地	E+D
知性	E+D	光	E+C
精神	E+D	闇《やみ》	E+C
速さ	E+E		
器用	E+D		
運	E+D		

袋に入った少女に触れた瞬間、俺のMPの「+」が一段階上がった。

ただの奴隷ではこうはならない。

間違いなく「何者か」だ。

それを確認するために、俺は商人に金を払って彼女を買って、袋を開けて絶対服従の魔法を活性《かっせい》化させた。

そして、聞く。

「お前の名前は？　何者だ？」

少女は眉《まゆ》をひそめて、口を貝のように閉ざそうとしたが、そこは絶対服従の魔法。

「ロウ・ペイユ。サエイ族族長の娘だ――えっ」

自分の意志に反して答えたことに彼女自身驚いたが、俺達も驚いた。

「族長の娘……紛《まぎ》れ込《こ》んでいたのか」

「なんと！　それを見抜いたのかノア」

「さすがでございます」

陛下も、クルーズも驚いていた。

「なぜ族長の娘がこうして一山幾らの中に入っている。答えろ」

「うっ……」

少女ペイユは口籠《ご》もったが、既に絶対服従の魔法が掛かっているから、俺《おれ》の命令には逆らえなかった。

彼女は苦虫を嚙《か》み潰《つぶ》したような顔で、訥々《とつとつ》と俺の質問に答えた。

「父様に、逃がされました」

「族長にか？　しかしお前が族長の娘なら、狙《ねら》われる戦利品としてはかなり優先順位が高いはずだ。そう簡単に逃がせないし、逃げられたとしてもこんな風に売られるのはおかしい」

「父様は、母様と一緒に、別の子を殺して、それから自殺しました」

「なるほど」

それなら話は分かる。

陛下の方を見る、長年帝国の頂点に君臨して、時には親征もした陛下は静かに頷《うなず》いた。

族長は、負けを悟って一家心中――を演出したんだろう。

それはよくあることだ。

戦争の敗者の末路は大抵が悲惨なものだ。

生きてその苦しみを味わうくらいなら、そして我が子がそれを味わうくらいなら。

と、負けを悟った指導者がその家族を自ら手にかけることは非常によくあることだ。

おそらく、族長がそれをやって、現場検証したら頭数が合っていたからそれで処理された。

「で、逃がされたは良いが、逃げ切れなくて捕まって、奴隷商に売られたってわけだ」

「……」

ペイユは静かに頷いた。

「名前を捨てて、どこかで静かに暮らしなさい……って」

「そうか」

なるほど、これで話は分かった。

「ノアよ、その娘はどう処する」

陛下が聞き、ペイユがビクッと身震いした。

俺は法務親王大臣として、頭の中に全部叩《たた》き込《こ》んでいる帝国法を引っ張り出した。

「サエイ族は元々帝国に降っておらず、従って反乱ではない。故に族長の血筋なら、男は斬首《ざんしゅ》、女は功績のある者に奴隷として下賜するものと定められております」

「取り立てて何かをする必要はない、ということか」

「おっしゃる通りでございます」

既にペイユは奴隷になっている。

絶対服従の魔法を掛けられて、俺の命令には何があっても逆らえない。

ここで死ねと命じれば彼女は泣き叫びながらも、体はその命令に従って勝手に動くだろう。

そんなペイユを見た、目と目が合った。

怯《おび》えた感じの彼女は、すぐに目を伏せて視線をそらした。

彼女は怯えた様子で、俺の顔色を窺《うかが》っている。

目の前の男が自分の生殺与奪の権利を握っていると、正しく理解してそれ故に怯えている顔だ。

「なら、その娘はノアにくれてやろう」

「ありがたき幸せ」

俺はその場で膝《ひざ》をついて頭を下げた。

改めて陛下から下賜されたという形になった。

立ち上がって、ペイユを見て。

「というわけだ。これからは俺の奴隷。屋敷でメイドをやってもらう」

「メイド、ですか?」

「ああそうだ」

「殺さない、んですか?」

「必要ないな」

人は宝だ。

直前にジェリーの活躍を聞いたのもあって、またペイユは既に絶対服従の魔法が掛かっていることもあって。

ペイユを殺すつもりは微塵《みじん》もない。

「……あ、あの」

わずかな逡巡《しゅんじゅん》の後、ペイユは勇気を振り絞った、って感じで切り出してきた。

「みんなも、一緒じゃ……だめですか？」

「みんな？」

「はい」

ペイユはおずおずと頷《うなず》き、周りを見た。

彼女の周りにはまだまだ、多くの麻袋がある。

「みんな、同じ村で育った友達だから……」

「なるほど」

俺は頷き、さっきからずっと黙っている奴隷商の方を向いた。

「今ここにあるの、全部買い取った」

「お買い上げありがとうございます！」

「それと今の話は聞いてたな？」

そう言って、金を取り出して奴隷商に渡す。

袋入りで持ち歩いている金、１０００リィーンを渡した。

「サエイ族の生き残りがいれば、売りに出さないで十三親王邸に送ってこい」

「し、親王様⁉」

奴隷商は大げさに驚いた。

「かしこまりました。手前に全《すべ》てお任せください」

「これでいいか？」

「――っ！　はい！　ありがとうございます！」

ペイユはものすごく感激した様子で満面の笑みを浮かべた。

その笑顔は美しく、少しだけどきっとした――が。

それ以上に。

名前：ノア・アララート
法務親王大臣
性別：男
レベル：15／∞

HP	C＋D	火	E＋A
MP	E＋D	水	C＋S
力	C＋A	風	E＋F
体力	D＋D	地	E＋D
知性	E＋D	光	E＋C

精神　E＋D　闇《やみ》　E＋C
速さ　E＋E
器用　E＋D
運　　E＋D

体力の「＋」が一段階上がったことの方が、より目に留まったのだった。

☆

数日後、アルメリア州都、ニシルの屋敷。

昼過ぎに到着した俺は、リビングでゾーイを呼び出した。

メイド長のゾーイ。俺に対する忠誠心は折り紙付きで、それを買って全てのメイドの管理を任せている。

その彼女を呼び出して。

「都から連れ帰ってきた奴隷達、全部任せる」

「分かりました。みんなメイド、ということでいいのでしょうか」

「ああ。絶対服従の魔法を掛けられてて、俺が上書きしない限りお前の命令を聞くように言いつけておいた。全部お前に任せる」

「かしこまりました」

「それと――」

念の為にもういくつか言いつけておこうとしたところ、ドアが開いて、オードリーが部屋に入ってきた。

「お帰りなさいませ、ノア様」

「ただいま。いない間、屋敷に何か変わったことはあったか?」

「屋敷の方は何も。いつも通りです」

「そうか」

「私の方から、一つノア様にご報告が」

「なんだ?」

「ややを身籠《ごも》りました」

「……ほう」

ちょっと驚いた。

俺は立ち上がり、オードリーに近づく。

見えはしないが、彼女の前に片膝をついて、腹を見つめて、そっと触れる。

「確かなのか」

「はい」

「そうか。良くやった。嬉《うれ》しいぞ」

不思議なものだ。

オードリーに告げられた後、胸の奥から湧《わ》き上がってくるこの感情。

様々なものが満たされていくこの感情。

自分の気持ちに芽生えた変化が面白《おもしろ》かった。

「ありがとうございます」

「名前を決めねばな」

「お願いします」

俺は立ち上がって、少し考えた。

いくつか名前を思い浮かべて、それらを取捨選択して、二つまで絞る。

「男ならセム」

「素晴らしい名前だと思います」

「女ならアヴィス――」

そう、俺が言った瞬間。のことだった。

よく見た光景に、初めての変化が生じた。

名前：ノア・アララート
法務親王大臣
性別：男

レベル：15＋1／∞
HP　C＋D　火　E＋A
MP　E＋D　水　C＋S
力　C＋A　風　E＋F
体力　D＋D　地　E＋D
知性　D＋D　光　E＋C
精神　E＋D　闇　E＋C
速さ　E＋E
器用　E＋D
運　E＋D

なんと、今までの能力だけでなく。

レベルの値にも、「＋」がついた。

「どうかなさいましたか？」

「ゾーイ、俺のステータスを」

直接オードリーには答えず、話の途中で、少し距離をとって控えていたゾーイに命じた。

ゾーイは命令を聞き返すことなく、手慣れた感じで俺に魔法を掛けた。

名前：ノア・アララート
法務親王大臣
性別：男
レベル：16／∞
HP　A　火　S
MP　C　水　SSS
力　SSS　風　E
体力　B　地　C
知性　B　光　B
精神　C　闇　B
速さ　D
器用　C
運　C

表向きのステータスが表示された。

それを見たオードリーは。

「レベルが上がってますね。いつ上がったのですか？」

「今だ」

「え？」

「今、お前の腹の中の子に名前を付けたら上がった」

「――っ！」

オードリーも、ゾーイも揃《そろ》って驚きの表情を浮かべた。

俺の能力が、部下や封地が増える度に上がることをこの二人は知っている。

その上で。

「レベルも上がる……？　すごい……」

初めての現象に、二人は絶句していた。

64

飴と鞭

「俺《おれ》も驚いている」

「でも、よく考えたら当たり前かもしれません」

「当たり前？」

一人納得しているゾーイに目を向けた。

彼女は静かに頷《うなず》き、答えた。

「ご主人様はいつも、人は宝とおっしゃってます」

「ああ」

「ですがそれ以上に、子はもっと宝ですから」

「……なるほど」

俺はクスッと笑った。

よもやそういうわけでもないのだろうが、ゾーイの言う通りだという気もしてくる。

人は宝、そして可能性。

どっちも、自分の子供に当てはまる話だ。

「良い発想だ。ほれ」

俺は懐《ふところ》から100リィーンを取り出して、ゾーイに放り投げた。

慌てて受け取って、一礼するゾーイを放っておいて、オードリーの方を向く。

「オードリー。今から産後回復するまで、給仕とかそういうのは全部やらなくていい」

「分かりました、ありがとうございます。それと……」

「ん？」

「アーニャはもうすぐ到着するとの報《しら》せが」

「……そうか」

俺はくすっと笑った。

予定より若干早めだ。

オードリーが妊娠したと知った上で早めたんだとすぐに分かった。

貴族——特に皇族に絡《から》んだ場合の特有の話だ。

相手が皇族の場合、口が裂けても言えないが、男側が種無しの可能性を考えてしまうものだ。

しかしオードリーは無事身籠《ごも》った、ならば俺に種はある。

安心してオードリーの妹をこっちに送れるというものだ。

「妹にも、宝を授《さず》けてやらないとな」

「ありがとうございます！」

オードリーは、ものすごく嬉《うれ》しそうな顔で頷いたのだった。

☆

翌日、俺は庭に屋敷の使用人や、部下達を全員集めた。

メイドや宦官《かんがん》、そしてドンといった部下達。

集められる人間をとにかくかき集めた。

急な集合の意図を測りかねてか、半数くらいが不安そうな顔で、庭はざわざわとしている。

しかしそれも、俺が姿を現すまで。

集めた者達の前に出て、全員に訓示をする位置に立つと、一斉に静かになって俺を見つめた。

「知ってると思うが、俺の正妻、オードリーが初子を身籠った。めでたいことだ」

「「「……」」」

全員が一斉に、俺と一緒に現れたオードリーに視線を向けた。

オードリーは微笑《ほほえ》みを称えたまま何も言わない、進行の全てを俺に任せた。

「ちょうどいい機会だ、お前らを労《ねぎら》うためのボーナスを出そうと思ってな」

そう言って手を上げると、屋敷の中から使用人達が箱を次々と運んできた。

少し前にバイロンからもらった、10万リィーンが入っている箱だ。

箱を開けると、使用人の大半はざわつきだした。

「これをお前達に配る。ゾーイに審査してもらって、これまでの働きに応じてA、B、Cの三つのランクに分けた。Aランクは一人300リィーン、Bランクは200リィーン、Cランクは

「100リィーンだ」

「「「おおおお!!」」」

ここに来て、使用人達の不安がまとめて吹き飛んだ。

数百メートル先でも聞こえそうな大歓声が上がった。

それもそのはず。

成人男性の一ヶ月の稼ぎが約10リィーンだ。

最低のCランクでも一年分、最上のAランクなら二年半に相当するボーナスだ。

それを理解した使用人に、更に畳み掛けることにした。

「Aランクの上に二人、特別に上乗せした。一人はエヴリン。お前達も知っているだろうが、俺の屋敷でメイドをしていたが、使えそうな人間だから代官に推薦した。そして、赴任先でよくやってくれた」

一呼吸ほど間を空けて、更に続ける。

「エヴリンが治めている土地は、夜は戸締まりをしなくても安全なほど治安が良くなった。それもあって、俺が任命した代官はいい代官だっていう意味の『賢任』って言葉も出来た。エヴリンには1万リィーンをくれてやる」

「「「おぉ……」」」

大半の人間の目には羨望《せんぼう》の色があるが、一部遠い世界の出来事を見ているような目をする者もいる。

1万リィーンといえば、一生涯で稼げるか稼げないかの額だ。

自分には降りかかってこないだろう、という感覚がするんだろう。

代官というのも、やっぱり遠いと感じるんだろう。

予想通りだ。

「そしてもう一人――グラン、前に出ろ」

「え？　は、はい！」

いきなり名前を呼ばれて、少年宦官は驚きながらも前に進み出た。

「あの後、屋敷の周りの地価を気にしていて、全部覚えているらしいな」

「は、はい！　殿下がいつか必要になった時のためにと」

「よくやった。主のやりたいことを覚えていて、それに気を回す。命令されたからじゃなくて、自ら動いた。お前には1000リィーンだ」

「「「おおおおおおお!!」」」

この日一番の歓声が上がった。

代官を上手《うま》くやって1万リィーンという話は感情移入できなくても、俺がやろうとしてたことを覚えていることに対して1000リィーンならば、自分でもいけると想像がつくんだろう。

その結果、ほとんどの者が大歓声をあげて、何かを狙う者特有のぎらぎらした眼になった。

俺はそれを変えた。

「グランの事はオードリーが教えてくれた」

視線が一斉にオードリーに集まった。

彼女は少しだけ——至近距離にいる俺にだけ分かる程度の驚きを顔に出した。

それをスルーする。

この話は本来「内事」だ。この後もオードリーが「主」になるように話を進めた。

「彼女は全てを見ている。功績を決して見落としたりはしない。これからちゃんと俺の為に働けば、決して悪いようにはしない」

「「「十三親王殿下万歳！　ノア様万歳!!」」」

歓声がいつまでも響き渡っていて。

名前：ノア・アララート
法務親王大臣
性別：男
レベル：15＋1／∞

HP	C＋D	火	E＋A
MP	E＋D	水	C＋S
力	C＋A	風	E＋F
体力	D＋D	地	E＋D
知性	D＋D	光	E＋C

精神　E＋D　闇《やみ》　E＋C
速さ　E＋D
器用　E＋D
運　　E＋D

速さの「＋」が、一段階上がっていた。

☆

話が終わって、俺は外苑《がいえん》の書斎に戻った。

話があると、一緒に連れてきたドンが部屋に入るなり感心した様子で。

「さすがでございます、殿下」

「ん？」

「皆の目の色が変わっておりました。特にグランには羨望の眼差《まなざ》しを向けていました」

「お前の目にもそう映っていたか」

「そうおっしゃるということは狙い通りということでございますな。さすがでございます」

「定期的にやるつもりだ」

「罰は考えておられないのでしょうか」

「ああ、考えてる」

俺はふっと笑った。

「理想は、あの直後に寝かせておいた裏切り者を内法で処断できればベストだったんだがな。あのタイミングで落差をつければ――なんだが、裏切り者はいなくてな」

「既に考えておいででしたか、さすがでございます」

「それよりも、お前にやってほしいことがある」

「は、何なりと」

Aランクで300リィーンをもらっているからか、ドンも心なしかいつもよりテンションが高い。

「アルメリアの余剰食糧を北の方に送ることにした」

「食糧を、ですか？」

俺は頷き、ルーシ・ツァーリの話をドンにした。

最初は驚いたが、話を聞いているうちに「なるほど」と得心顔をするようになった。

「委細承知いたしました。しかしそれを出してしまっては、もしアルメリアに天災が起きて飢饉《ききん》になってしまった場合は……？」

「それがお前を呼んだ理由だ。ドッソという地名を知っているか」

「たしか……かつて洪水にあって、まるごと殿下が買い上げた土地――と記憶しています」

「ああ。あの後放置したままだが、洪水ってのは、同時に肥沃《ひよく》な土も運んでくるもんだ」

「……なるほど！」

「そう、あそこを開墾する。手付かずで、肥沃な土が大量にある土地だ。大規模に開発すれば、アルメリアの収穫が一割は増えるだろう」

「なるほど！　それならば大丈夫ですな」

「それをお前にやってもらう。大事業だ、行ってくれるな？」

「私で良いのですか？」

「さっきまで決めかねてたが、今の話で決めた」

「……？」

どういうことだ？　って顔で俺を見るドン。

「俺のポケットマネーを投じて開墾するのだ。さっきのアレで『見せしめ』って言い出せるお前なら、着服とかするまいさ」

「しかし、失敗の可能性も」

「失敗は構わん」

「え？」

ドンは思いっきり驚いた。

「人は失敗するもんだ。俺に忠誠を誓ってる上での失敗なら、どんな者だろうと咎《とが》めるつもりはない」

「…………」

「どうした、変な顔をして」

「いえ、ものすごい主に仕えられた幸運を噛《か》み締《し》めているだけでございます」

ドンは言葉通り、感極《かんきわ》まった表情をするのだった。

65 悪代官

次の日、メイドのジジを連れて、街に出かけた。

適当にぶらついて、街の様子を見る。

アルメリア州、州都ニシル。

州都、と呼ばれているだけあって、通常の街の数倍の規模がある。

四つの区画に分けて、東西南北と代官が四人必要なことからも街の規模の大きさが分かろうというものだ。

正直、封地入りしてから大分経《た》つが、まだ州都ニシル全体を回りきっていない。

民の日常を知るためにも、俺《おれ》はこうして街をぶらついていた。

「ご主人様、なんだかあっちが賑《にぎ》わってるみたいです」

「うむ。何か見世物でもあるのかな」

ジジが気づいて、指さした先を見た。

典型的な何かが起きて、野次馬《やじうま》が集まっている雰囲気だ。

俺は野次馬に近づき、近くの男に聞いてみた。

「これはなんの騒ぎだ?」

「死刑の執行だよ。今日は強姦《ごうかん》殺人のクズが打ち首にされるって話だから、みんな見に来てるのさ」

男は興奮気味に答えた。

俺はなるほど、と思った。

死刑というのは、公衆の面前で執行されることがよくある。

謀反人は見せしめの為にこうするし、大衆の怒りを買うような犯行内容のものは溜飲《りゅういん》を下げるためにすることが多い。

今回は後者。強姦殺人犯なら、まあこうして公開処刑になるのも分かる。

話は分かった、これ以上見る必要はなさそうだ。

俺は法務親王大臣、年一回のまとめ執行の最終決定権を持つ立場だ。

その立場にいて数年経つ、今更死刑を見物するような立場でもないし趣味もない。

ジジを連れて、この場から立ち去ろうと――したその瞬間。

野次馬が集まっている広場、取り囲んでいる死刑執行のための台。

その上に、代官と、執行人と、犯人とそれを取り押さえる人間たちが次々と上がっていった。

代官は正装だ。死刑執行するときはそうするべきだと法で明文化されている。

執行人の男は、上半身裸のムキムキな男だ。

よく研いである、遠目からでも鋭さが窺《うかが》える刀を抱えている。

犯人は後ろ手を縛られて、ぐったりとした様子で台に上らされて、跪《ひざまず》かされた。

あっちこっちから罵声が上がった。

強姦殺人犯、ということは既に皆が分かっているところで、社会の敵と化した犯人に周りから罵声が次々と浴びせかけられた。

代官は前に出て、両手を上げる。

罵声が大分やんだ。

静かになったところで、代官が犯人に向き直って、よく通る声で。

「クレイグ・ホールだな。何か言い残すことは？」

「――!!」

跪《ひざまず》かされて、項垂《うなだ》れていた犯人はそれを聞いて顔を上げて何かを言いたげだったが、喉《のど》から呻《うめ》き声を漏《も》らすだけで言葉は出てこなかった。

「ないようだな。ならば」

代官は処刑人に目配せをした。

犯人を取り押さえる者達は左右から犯人を押しつけて、頭を下げさせた。

そして、執行人が刀を振り上げる。

「――――!!」

犯人は更に呻き声を漏らして、何か言いたげだ。

「……バハムート」

『はっ』

「通訳、できるか？」

『造作もない』

バハムートが答えた後、犯人の呻き声が、バハムートを経由して分かる言葉に通訳された。

『私は無実だ！　陥《おとし》れられたんだ！』

「――っ！」

執行人が刀を上げて――振り下ろす！

「待った！」

俺はそう叫び、同時に地面を蹴《け》って飛び上がり、一直線に処刑台に向かっていった。

処刑人の刀は止まらなかった。

腕輪からレヴィアタンを抜き放ち、斬撃《ざんげき》を放つ。

キーーン！

澄んだ音がして、処刑人の刀が真っ二つに折れた。

犯人――無実を訴える者の首は繋《つな》がったまま、無傷だ。

「何者だ！」

代官が俺に誰何《すいか》した。

パスカル同様、俺の顔をまだ知らないようだ。

「俺が誰《だれ》かなんてどうでもいい。その人は無実だ」

「脱獄の手引きか！　出会え！　出会ええ!!」

厳密には脱獄でもないんだが、代官は若干焦《あせ》った様子で叫んだ。

すると、十人の兵士が台に上がってきて、俺に攻撃してきた。

「ふっ」

レヴィアタンを振るって、兵士達の武器を一つ残らず斬《き》った。

更に返す刀で、全員の太ももとか肩とかを斬って、一先《ひとま》ず戦う力を奪い取った。

「なっ――！」

「「「おおおおお!!」」」

代官が驚愕《きょうがく》し、群衆が歓声を上げた。

「何今の、すごくね？」

「一対十なのに一瞬で倒したぞ」

「どうやったのかまったく見えなかったぜ」

歓声に包まれる中、俺は代官に向き直る。

「その処刑、待った」

「お、お前、こんなことしてどうなるか分かってるのか」

「その人は犯人じゃない」

「何を言う！　もう確定した――」

「証拠がある」

「――え？」

俺が声を上げて言い放った。

声は周りに響いて、急展開に野次馬達が静まりかえった。

ちょうどいい、黙らせる手間が省けた。

俺は周りを見た。

野次馬の一番前に、いかにも「おばちゃん」らしき中年の女がいた。

「そこの女、一つ頼みたい。台に上がってくれ」

「あたしかい？」

女は不思議そうに思いつつも、なんだか面白《おもしろ》そうだ、って顔で台に上がった。

「頼みたいことってなんだ？」

「その犯人を調べてみてくれ。体をだ」

「はあ……？」

意味が分からないながらも、女は犯人に向かっていった。

代官が止めようとしたが、俺はレヴィアタンを喉《のど》先に突きつけて動きを止めた。

女が犯人に近づき、至近距離からしばらく「調べて」いると。

「なんてこと！　この人女よ！　男装させられた女だわ！」

女が言うと、野次馬達が更に騒ぎ出し、

「………」

代官は、顔が青ざめてしまった。

「あんた、よく女だって見抜いたね。すごいじゃないか」

確認を終えた女は、見立て通り「おばちゃん」らしさ全開で言ってきた。

それをスルーして、代官を睨《にら》みつけながら聞く。

「女が、強姦殺人の犯人ってことはあるまい？」

「そ、それは――そうとは限らな――」

「犯人の名前はクレイグ・ホールだったな？　どう聞いても男の名前なんだが？」

「それは……」

「まあ、身替わりなんてよくある話だ。珍しくもない」

法務親王大臣を長くやってると、現場の色んな「小技」も分かるようになってくる。

死刑にされた犯人は、家に金があれば、関係者達に賄賂《わいろ》を贈って、身替わりの人間と入れ替わることがまぁある。

もちろん謀反人とか、有名な犯人は出来ないが、そうじゃないなら珍しい話でもない。

当然、関係者の中には執行に立ち会う代官も入っている。

俺は更に強く睨みながら、

「お前は金を貰《もら》っているのか」

代官は「うぅっ」、と更に青ざめた。

群衆の気《い》が変わった。

元は強姦殺人犯という社会の敵に向けられていた敵意や怒気が、徐々に真犯人を逃したかもしれないという代官に向けられた。

それを肌で感じている代官は、答えに窮した。

だが、どのみち「そうだ」とは答えられない。

「ち、違う。俺は何も知らない」

「本当だな？」

「ああ！　何も知らない！」

「じゃあこれは何だ」

俺はレヴィアタンを振るって、代官の服を斬った。

傷一つつけずに服だけを斬ったら、切り口からポロリと、何かが台の上に落ちた。

ガラスの瓶《びん》で、中に液体が入っている。

アポピス経由で分かった。

「これは毒だ、彼女を喋《しゃべ》れなくしたのと同じ毒だ」

「そ、そんなものは知らない――じゃなくて。それは私の常備薬だ！」

「ほう？　だったら飲んでみろ。自分で飲んで何事もなかったら信じてやる」

「うっ――」

男は答えに詰まった。

野次馬達が騒ぎ出した。

「おい飲めよ！」

「自分の薬なんだろ？」

「皆の前で無実を証明してみろ！」

代官はまごついた。

「ふん」

俺は鼻をならして、代官に近づき、取り押さえて、薬を口の中に流し込んだ。

毒に詳しいアポピス。

それ経由で、数日は喋れなくなる毒だってのは判明している。

だから無理やり飲ませた。

すると――

「げほっ……ごほっ……うぅ……あうぁ……」

代官はすぐに喋れなくなって。

「悪代官じゃないか！」

「そいつを捕まえろ！」

「真犯人はどこだ！」

完全に代官が関《かか》わっていると分かった群衆の怒りが、全《すべ》て代官に向けられたのだった。

喉《のど》を押さえて苦しむ代官を置いて、女の方を向いた。

中年の女に支えられた彼女は、何か言いたそうだが、呻《うめ》き声しか出せなくて悲しそうな顔をしている。

「少し待て」

女にそう言って、アポピスを呼ぶ。

「お前、毒をいち早く感知したな。この毒は消せるか?」

『簡単。人間同じ、息すること』

おそらくは呼吸と同じくらい簡単なことだ、とアポピスは言いたいんだろう。

そんな分かるような分からないような片言で応じた後、俺《おれ》の腕輪の中から紫色の、毒々しい煙が湧《わ》き出して、女に向かっていった。

アポピスの蛇の杖《つえ》はレヴィアタンの水の魔剣と同じように、見た目の体積を自由に変えられて、小さくなった状態で俺の腕輪の中に収納している。

そのままで元のサイズに戻すことなく、「何か」だけを吐き出した。

「――っ!」

「安心しろ、悪いようにはしない」

見るからに毒っぽい、紫色の煙だ。

それを見た女はビクッとして逃げようとした、当たり前の反応だ。

俺はそれを止めた。

女は迷ったが、次の判断を下すよりも早く煙が女に取り憑《つ》いた。

煙は女の口や鼻から入っていく。

まるで女が全力で吸い込むような感じで、煙は瞬く間に、女の体の中に全部収まっていった。

むずがって、咳《せ》き込《こ》んで。

そして。

「……あっ、話せる」

「「「おおおお!!」」」

女の声が戻ったことで、群衆の、最前列あたりで声が聞こえた者達が一斉に歓声を上げた。

「あんなに喉が焼けるほどだったのに……どうして」

「毒を中和しただけだ。病気とかならなんとも言えんが、毒ならどうとでもなる」

『オレ、毒の神』

アポピスが片言で自慢げに言った。

毒ならば自分に勝る存在はいない、どんな毒だろうが制することが出来ると、アポピスの自信が感情としてそのまま俺に伝わってきた。

それに頼もしさを覚えた。

「ほんっとうにすごいわね。ねえねえ、今の、どうやったの？」

台に上げた「おばちゃん」は驚き、感心した。

それに付き合ってると話が盛大に脱線しかねないので、無視して、女にだけ話しかけた。

「これで話せるようになったな。なんでこうなったのか言ってみろ。冤罪《えんざい》なんだろう？　俺がなんとかしてやる」

「……うぅ」

女は俺をしばし見つめた後、無言のままボロボロと涙をこぼした。

喋《しゃべ》れるようになって無実を訴えるのかと思いきや、まったく違った行動だ。

俺は少し戸惑った。

しかしすぐに、その反応の意味を知る。

「レナが……娘が……。レナの母親なんです」

女の口から紡《つむ》がれる、支離滅裂な言葉。

断片的なキーワードを拾い集めた俺の頭の中に、とある想像が浮かび上がった。

眉《まゆ》をひそめて、それを聞く。

「もしかして、お前、被害者の母親か」

「……」

女は無言のまま、しかしこくりと頷《うなず》いた。

次の瞬間、群衆の怒りが頂点に達した。

「何だよそれは！」

「被害者の母親を死刑の身替わりかよ！」

「どこまで腐ってるんだよ！」

あっちこっちから罵声が上がった。

俺は「はっ」と、鼻で笑った。

ある意味感心した。

被害者の遺族を死刑の身替わりに突き出した。

まさに一石二鳥だ――胸《むな》くそ悪いくらいに。

ますます許せん――とそんなことを考えていると。

誰《だれ》かが喉を押さえつけている代官に向かって飲み物のコップを投げ込んだのを皮切りに、色んな物が投げ込まれてきた。

雨あられの如《ごと》く、様々な物が台の上に投げ込まれ、降《ふ》り注《そそ》いできた。

「ふっ！」

レヴィアタンを抜いて、それを全部斬《き》りおとす。

斬った跡をバハムートの炎で燃やし尽くす。

数百はあろうかという飛来物を余すことなく全部払い落とした。

「あんた、やるじゃないの！」

感心げな言葉を呟《つぶや》く「おばちゃん」はやっぱり「おばちゃん」で、この状況下でもどこか呑気《のんき》だった。

それも無視して、俺は群衆に向かって。

「私刑は許さん」

と言い放った。

「そいつを庇《かば》うのか！」

「お前も結局仲間なんじゃないのか！」

等々、様々な罵声が飛んできて、怒りの矛先が今度は俺の方に向かってきた。

これをどう切り抜けようか、レヴィアタンの威嚇《いかく》を弱めにして全員黙らせるか。

周りをぐるっと見回す。

広場に集まってきている野次馬《やじうま》はざっと数えて千人くらいだ。

それなりに多い数だが、やれなくはない。

よし、ならば——と思っていると。

「どけどけ、道を開けろ！」

「開けないと逮捕するぞ！」

群衆の中から、野太い声が聞こえてきた。

その群衆を割って現れたのは、正規の服装をまとった警吏の一団だ。

その一団は真《ま》っ直《す》ぐとこっちに向かってきて、次々と台に上った。

更に起きた変化、正規の警吏が何をどうするのか？　と、群衆は期待が怒りをやや上回り、様子見モードに入った。

そんな中、警吏の中から一人の男が現れた。

警吏を率いてやってきたその男は——ドンだった。

今や俺の腹心と言っても差し支えない、ドン・オーツ。

彼は俺の前に立つやいなや。

「護衛が遅れて申し訳ありません、十三親王殿下」

高らかに言うと、片膝《ひざ》をついて頭を下げた。

そのほぼ同時に、連れてきた警吏らも全員頭を下げた。

ドンはかなりわざとらしく「十三親王殿下」と分かりやすく言った。

周りに聞こえるように——聞かせるように。

静寂が、水を打ったように広まっていく。

約十秒後、誰かが思い出したかのように跪《ひざまず》くと、広場の周りに集まっていた千人近い野次馬が次々と跪いた。

人が波のように次々と跪いていく中、立っているのは俺と、もう一人。

「すごい……」

冤罪を着せられそうになった女だけだった。

その女もやがて「おばちゃん」に裾《すそ》を引っ張られて、慌てて同じように跪いた。

千人近くが跪いている中たった一人立っている俺は、改めて、って感じでドンに命じた。

「クレイグ・ホールを即座に逮捕。家族は監視の下に置け。身替わりを立てられるなら、ある程度の資産は持ってる家ってことだろうな。刑が確定したら改めて財産没収だ」

頭の中で帝国法を思い出しつつ、適法の中でもっとも重い裁きを下す。

静寂の中、俺の声はよく通った。

裁きの意味が浸透するまで十数秒かかった——直後。

どっと沸いた。

歓声が広場を包んだ。

一方で、命令を受け取るだけのドンは動かなかった。

俺の前で跪いたまま動かない。

「どうした」

「恐れながら申し上げます。先々代ホールは引退こそしておりますが、かつては宰相まで登りつめた方。クレイグ・ホールはその一人孫でして」

ドンはそんなことを言った。

が、至近距離で俺を見上げる顔は、イタズラっぽい笑みを浮かべていた。

止《や》めろと言ってる顔でも口調でもない。

むしろ、俺へのアシストだ。

賢《さか》しいな、と思いつつ。

「だからなんだ」

俺は声を押し殺して、わざとらしくドンを睨《にら》んだ。

「引退したならただの庶民だ。行け」

「御意《ぎょい》」

ドンはもう一度頭を下げて、連れてきた警吏に命令した。

一部はそのまま呆然《ぼうぜん》としている代官を拘束して、一部はそのまま来た道を引き返して、真犯人クレイグ・ホールを捕まえに走った。

「「おおおおお‼」」

この日一番の歓声が沸き上がった。

「名裁きだな」

「元宰相に対してそこまで言えるのは中々いいねえ」

「十三親王殿下って俺らの領主様だよな」

「アッピア水道を特等に引き上げてくれたし、裁きも俺らに寄り添ってるし」

「すごい方だぜ」

俺を称《たた》える声がする中。

偶然遭遇した死刑囚身替わり事件は一段落した。

67
皇帝

屋敷の内苑《ないえん》、リビングの中。

俺《おれ》はメイドのゾーイと向き合っていた。

俺がソファーに深く背をもたれ掛けて座り、ゾーイが真ん前に立っている。

「ご主人様のご命令通り、乳母四人を確保しました。いずれも経産婦ばかりで、乳の出は保証されております」

「ん」

「保母もご命令通り四人、教育係は十六人を確保しました。教育係につきましてはエヴリンさんの推薦が二人、シャーリー様の推薦が一人です」

「分かった」

乳母四人、保母四人、教育係十六人。

そろそろ生まれてくる俺の息子の為に揃《そろ》えた人間だ。

皇族は、よほどのことがない限り母親が自らの母乳で子育てをすることはない。

理由はいくつかある。

一つは危険だからそうすべきではないというもの。

もう一つは、身も蓋《ふた》もない言い方をすれば、貴族の女は跡継ぎ――つまり男子を産むまで産み続ける必要がある。

故に、子育てするよりも、一刻も早く次の出産が出来るくらいに回復する必要がある。

事実、転生して生まれた瞬間からの記憶がある俺は、母ではなく乳母の乳で育ったのをよく覚えている。

ちなみに、皇太子ともなれば乳兄弟は基本存在しない。

死産した女を乳母につけるからだ。

乳兄弟はなんだかんだで特別な存在になるから、その可能性を最初から排除する。

天下を取る前の帝国は皇帝の乳兄弟が政治に口を出して国を傾けさせたこともあり、我が帝国は皇太子には乳兄弟を作らないようにしている。

「しかし……すごいです……」

「ん？　なにがだ、ゾーイ」

「まだ生まれてもおりませんのに、もう二十人近くの人間をつけてます。こんなに多くの乳母や保母は初めて聞きます」

「家の為だからな」

「家の為、ですか」

俺は静かに頷《うなず》いた。

「優れた子供は、その家の次の代をより良きものにする。そう思えば力を入れざるを得ない」

「なるほど！　さすがご主人様です！」

ゾーイが納得したところで、俺は指折って、出産までの日数を数えた。

オードリーの腹は順調に膨らんでいて、医官の定期検診でも順調だと言われてる。

予定日が待ち遠しくある。

そんなことを考えていると、ドアがノックされて、ゾーイが向かっていった。

ドアが開いて、メイドの一人がゾーイに耳打ちした。

ゾーイは頷いて、ドアを閉めて戻ってくる。

「ご主人様」

「どうした」

「なんでも、吉兆が現れたそうです」

「またか」

俺は半分ほど呆《あき》れた様子で苦笑いした。

最近、吉兆が多いな。

最初は「賢」の文字が自然に出来たと言われる隕石《いんせき》だった。これは捏造《ねつぞう》だった。

その次は、子供が宝石を握り締めながら生まれてきた。

そして今、また吉兆が現れたという。

「今度はなんだ？　もう献上品として届いているのか？」

「いえ、物ではないようです」

「物じゃない？」

「はい、窓の外をご覧ください」

「……？」

俺は首を傾《かし》げつつも、ソファーから立ち上がって、窓際に向かっていった。

驚いた、思わず息を呑《の》んでしまうくらい驚いた。

なんと窓の外――空にオーロラが掲げられていた。

空高く掲げられている極光のカーテン。

紛《まぎ》れもなく、普段は見ないものだ。

「こんな所にオーロラだって？」

「アルメリアでこれが現れたのは、少なくともこの数百年はないみたいです」

「だろうな」

オーロラというのは、もっと北の果てか、南の果てに現れるものだ。

このアルメリアのような、農作に適した温暖な気候の地域には普通現れない。

「バハムート」

『はっ』

「あれはなんらかの人為的なものか？」

『そういった意志はまったく感じられぬ』

どうやら、自然現象のようだ。

なるほどなと思った。

これを見れば、確かに吉兆と思っても不思議ではない。

「こんなのが現れるなんて、やっぱりご主人様ってすごい……」

ゾーイは、当たり前のように。

吉兆＝為政者の為にあるものとして、俺に憧《あこが》れの眼差《まなざ》しを向けてきたのだった。

☆

結果から言えば、それは吉兆だったようだ。

数ヶ月後、無事臨月を迎えたオードリーは、玉のような男の子を産んだ。

かなりの安産で、母子ともに元気だ。

「よくやったな、オードリー」

俺はベッドの上に寝そべっているオードリーを労《ねぎら》った。

「ありがとうございます」

「男だから、名前は前もって決めた通り、セムとする」

「はい……」

大仕事を終えたオードリーは頷き、微《かす》かな微笑《ほほえ》みのまま目をそっと閉じた。

「さて……ゾーイ」

「分かりました」

ゾーイは保母に抱かれている赤ん坊――セムに近づき、魔法を掛けた。

俺が転生――生まれた直後にやったことと同じだ。

能力をチェックする魔法を掛けた。

直後、子供のステータスが浮かび上がる。

名前：セム・アララート
性別：男
レベル：1／100
HP　F　火　F
MP　F　水　F
力　F　風　F
体力　F　地　F
知性　F　光　F
精神　F　闇《やみ》　E
速さ　F
器用　F
運　F

「「「おおおっ⁉」」」

ステータスが表示された瞬間、部屋の中にいたメイドや保母、助産婦らが一斉に驚きの声を上げた。

「レベルの上限が100か」

「さすがご主人様、すごいです。ご主人様の血がばっちり若様に受け継がれました」

「そうなるな」

レベルの上限が100、というのは相当なものだ。

レベル15でも人間の上位5％だ。

レベル上限が100なんて、数千万人に一人ってレベルの才能だ。

「やっぱりあの吉兆はこれを予言したものだったんですね」

「そうかもしれないな……そうだ。この子に領地をやらないとな」

親王ほどではないが、親王の子供にも多少の領地を与えるのが一般的だ。

一般的ではあるが、もちろんそれだけではない。

レベルの上限が俺の血を受け継いで100という高さなら、領地や人間を加えて能力が上がる俺特有のこの力は？

「ドッソをやろう。いいな、ゾーイ」

「ありがとうございます！」

ゾーイは嬉《うれ》しそうに頭を下げた。
ドッソは彼女の故郷の土地だ。
その土地を俺の長子――世継ぎの可能性が高いセムに与えるのは一種の恩賜だ。
そうした後、もう一度ゾーイに命じてステータスを呼び出させる。

名前：セム・アララート
性別：男
レベル：1／100
HP　F　火　F
MP　F　水　F
力　F　風　F
体力　F　地　F
知性　F　光　F
精神　F　闇　E
速さ　F
器用　F
運　F

変わらん、か。

なるほど、「+」はやっぱり俺特有で、子供には受け継がれなかったようだ。

それでも。

「レベル100だって」

「最後に三桁《けた》が出たのはいつだったかしら」

「五十年くらい前の大将軍グラント様じゃなかった？」

周りはセムに自然と期待して、同時に俺にはますます尊敬の視線を向けてくるのだった。

☆

セムが生まれたことで、俺は都に飛んだ。

親王は子供が生まれた場合、特に男の子が生まれた場合、皇帝陛下に報告する義務がある。

その義務を果たすため都に戻り王宮に入って陛下に謁見《えっけん》を求めた。

すぐに目通りがかなって、俺は陛下の書斎にやってきた。

「おお、よく来たなノア」

書斎の中にいた陛下が両手を上げて、満面の笑みで俺に向かってきた。

俺はその場で片膝《ひざ》をついて、作法に則《のっと》って一礼した。

「かしこまったのはいい、面を上げよ」

「ありがたき幸せ」

「聞いたぞ、お前の子供。セム、だったか」

「はい」

「レベルの上限が１００だそうだな。さすがノアの子供だ」

「恐縮です。封地に戻り、すぐにセムを連れて都に戻ってきますので、その時に陛下に一度抱いていただければ」

「うむ、そうしよう。それよりも、ノアよ、お前に話がある」

「話、ですか？」

顔を上げると、ちょっと驚いた。

陛下の顔が、いつになく真剣だったからだ。

さっきまであんなに笑顔だったのが、急に真剣な顔つきになった。

「そうだ」

陛下は頷き――爆弾発言をした。

「余は退位して、上皇になろうと思う」

「なっ――」

さすがに驚いた。

転生してから十六年、今が一番驚いた瞬間だ。

「……どういうことですか？」

「色々考えたのだ。ノアのアドバイスもあったが、やはりそれは不確定だ」

俺のアドバイス――体の中に遺言、つまり次の皇帝の人選を書いたものを埋め込むという話だ。

「あれをやったところで、余のいない所で次の皇帝が決まるということに変わりはない。ならば、余がまだちゃんと物事を判断できる間に、次の皇帝を決めてしまうのが一番だと思った」

「……はっ」

陛下の言うことにも一理ある。

いや、むしろさすがと言うべきだ。

「だから――ノア、次の皇帝をやってくれ」

「……セム、ですか」

瞬間、脳裏《のうり》に白い雷《いかずち》が突き抜けていった。

一ヶ月くらい前までだったら分からなかっただろう。

だが、今は分かる。

セムが生まれたことで、陛下の考えが分かった。

「やはりお前はすごいな、ノア」

陛下に褒められた。

「うむ。レベル上限１００という、数千万人に一人の才能だ、セムは。ノアに帝位を渡せば、帝国三代にわたっての繁栄が約束される」

「……はっ」

「つまりはそういうことだ。やってくれるな、ノア」

「……」

俺は少し考えた後、無言で跪《ひざまず》いた。

「分かりました。三代の繁栄のため、ご期待に違えず精進します」

「うむ」

陛下は頷き、俺の肩を叩《たた》いた。

「儀式などはこれからだが、この瞬間をもって帝位を渡す」

瞬間、視界の隅っこにあるステータスが変わった。

名前：ノア・アララート
帝国皇帝
性別：男
レベル：15＋1／∞
HP　C＋C　火　E＋S
MP　E＋C　水　C＋SS
力　C＋S　風　E＋E
体力　D＋C　地　E＋C
知性　D＋C　光　E＋B

精神　Ｅ＋Ｃ　闇　Ｅ＋Ｂ
速さ　Ｅ＋Ｃ
器用　Ｅ＋Ｃ
運　　Ｅ＋Ｃ

肩書きが皇帝に代わり、「＋」が全部一段階上がった。

……なるほど。

前に総理親王大臣になった時は、「＋」が全部ＳＳＳになった。

しかし今は、全部が一段階上がっただけ。

それはつまり、陛下――上皇になられた後もまだ権力を全部手放すつもりはないということだ。

だから、俺は言った。

「ますます精進し、帝国の全《すべ》てを任せるに値する皇帝になります」

「それがお前の凄い所だ。二代目は安泰だな」

陛下は嬉しそうに微笑んだ。

こうして、俺は親王から皇帝になったのだった。

68
新米皇帝

王宮、謁見《えっけん》の広間。

玉座に座っている俺《おれ》の前に、二人の皇子がいた。

第四親王、ヘンリー・アララート。

第八親王、オスカー・アララート。

二人は謁見の間に入ってきて、所定の位置につくなり、流れるような動きで俺に片膝《ひざ》をついた。

「臣、オスカー」

「そしてヘンリー。召喚に応じ参上いたしました」

「二人とも、顔を上げてくれ」

「はい」

「仰せのままに」

二人は頷《うなず》き、言われた通り立ち上がった。

「ヘンリー、それにオスカー」

俺が二人の名前を呼ぶと、ヘンリーは平然と、オスカーはほんの一瞬だけ眉間《みけん》に皺《しわ》を作ってから。

「「はっ」」

と、声を揃《そろ》えて応じた。

「今日二人に来てもらったのは他でもない。二人に今のうちに渡したい物があってね」

「今のうち、ですか?」

ヘンリーが微《かす》かに首を傾《かし》げて聞き返した。

「ああ、今のうちだ。余の治世はこれから、様々な施策を行っていく。その前に、まだ何もしていない今のうちだ」

前提をまず二人に話した。

ヘンリーもオスカーも、いまいち要領を得ないっていう顔をしていた。

「レイドーク卿」

「はい」

水を向けると、そばで控えていたジャン=ブラッド・レイドーク――第一宰相に昇格したばかりの男が手招きして、若い宦官《かんがん》が現れた。

宦官の手にはそれぞれトレイのような物を持っていて、何か長い物がそのトレイの上に置かれているが、更に赤い布をその上に被《かぶ》せているから、何があるのか分からない。

二人の宦官はそれを持って、それぞれヘンリーとオスカーの前に立った。

そして、俺がジャンに頷き、ジャンが宦官に目配せする。

赤い布が取り払われた。

二本の、ガラスで作られた長剣が姿を見せた。

「こ、これは！」

「クリスタルソード……」

ヘンリーとオスカー、二人は顔が真っ赤《まっか》になるくらい驚いた。

「そう、クリスタルソード。別命『免死の剣』だ」

皇帝は、その気になれば帝国法を完全に無視できる。

それは皇帝が帝国最高の権力者であり、つまるところ帝国とは皇帝の私有物という思想からきている。

その皇帝の特権の一部を臣下に下賜するのが、このクリスタルソードだ。

「知っての通り、これを持っている人間は、謀反以外なら、どんな罪でも一回までは無効化——つまり免除出来る。死罪でさえもだ」

「これを私達に……？」

驚くオスカー、眉間に皺を作って、信じられないって顔で俺をみ見る。

それもまあそのはず。

死罪さえも免除出来るこれは、臣下に下賜する物としては最大級となるものだ。

「ああ、二人に」

「身に余る光栄ですが——なぜ私達に？」

ヘンリーが真顔で聞き返してきた。

「上皇陛下の二十人近い息子の中で、ヘンリー、そしてオスカー。二人がもっとも有能だ。余の治世では、二人の力を大いに借りたいと思っている」

「それは臣下としての本分――」

「政務によっては、ぶつかることもある」

ヘンリーの言葉を遮《さえぎ》った。

「この『免死の剣』は、ぶつかることを、不敬を恐れずにやってほしい、という意思表明だ」

「「……」」

「引き受けてくれるか」

二人は視線を交わしてから、改めて跪《ひざまず》いて。

「「一命に代えましても」」

と受け入れてくれた。

その後、二人はクリスタルソードを受け取って、謁見の間から退出した。

「さすがでございます、陛下」

残ったジャンが、感動した目で言ってきた。

「オスカー様が感動した眼差《まなざ》しをしておられた。ヘンリー様も平然としておられたが、クリスタルソードを受け取った手が若干震えておりました」

「よく見ているな」

「初手《しょて》から最大級の恩賞。これで両殿下も陛下の為に身を粉にして働きますな」

「そうでなくてはな」

ヘンリー、そしてオスカー。

将来、もし帝位に何かをしてくるとするならこの二人だ。

そうなる前に、二人には臣下でいることを、心の底から納得してもらわないとな。

☆

夜、離宮の書斎。

王宮のそばの、元十三親王邸。

陛下が上皇になられて、新しい宮殿の建築が終わるまで。

王宮は上皇陛下に、俺は十三親王邸を改めた離宮で寝食をすることになった。

その書斎の中で、政務に関する書類に目を通していると。

「陛下」

声とともに、宦官のグランが入ってきた。

「どうした――その服、似合っているじゃないか」

「え？　あっ、ありがとうございます」

グランは照れくさそうに笑った。

俺が皇帝になったのとほぼ同時に行った二つの人事。

一つはジャンを第一宰相に、もう一つはグランを宦官頭にすることだ。

父上にクルーズがいたように、俺にも腹心が必要だ。

グランは物覚えが良く、こっちの立場に立って物事を考えることも出来るから、まずは取り立ててみた。

そのグランが、宦官頭を意味する服に着替えていた。

「まさかこんなすごい地位になれるとは思ってもいなかったです」

「ちゃんと余に仕えていれば、更に出世もさせてやる」

「はい！」

「で、なんなんだ？」

「あっ、そうでした。これです」

グランはそう言って、書斎に入ってきた時からずっと大事そうに持っていたトレイを俺の目の前に差し出してきた。

トレイの上には精巧な人形が二つあって、うつ伏せに置かれている。

その背中には、それぞれオードリーとアーニャの名前が書かれている。

皇后オードリー、そして庶妃アーニャ。

「本日の夜伽《よとぎ》の方を選んでください」

「ん」

皇帝になっていくつか起きた変化の一つが、これだ。

毎晩、宦官が「今晩の相手」を聞きに来るのだ。

こうして、「今晩相手できる」妃たちの人形を差し出して、皇帝が気に入った相手のをひっくり返して仰向《あおむ》けにする。

すると、宦官たちが素っ裸にしたその相手を簀巻《すま》き（ものすごい高価な布で）にして、皇帝の部屋に届けてくる。

皇帝の一番重要な仕事は世継ぎを作ることだ、と言わんばかりにシステム化されている。

ちなみに毎晩選んだ相手はしっかりと内務省によって記録される。

調べて驚いたのだが、父上はあの歳《とし》で未《いま》だに「毎晩」なのだ。

そりゃあ兄弟だけでも二十人近く、姉妹《しまい》も入れて百人近くにもなる。

ちなみに、男が少ないのは常識だ。

帝位相続権を持つ男子は、「なぜか」夭折《ようせつ》が多いからだ。

まあそれはともかく。

俺は人形をちらっと見てから。

「今日はいい。二人にはもう休んでもらえ」

「いいんですか⁉」

驚くグラン。

「なんだ、どっちかから褒美でももらって、薦めるように頼まれたか」

「そんなことはしません！」

グランは慌てながらもきっぱりと否定《ひてい》した。

まあ、そういうこともあるってだけだ。

宦官が妃から金をもらって、人形を目のつきやすいポジションに置いたり、そもそもライバルの人形を外したりするということもよく行われている。

女には月の物がある、当然毎晩がいいというわけにはいかないから、そういう小細工がしやすいのだ。

「ふっ、冗談だ」

「そうじゃなくて、しないでいいんですか？」

「ああ、今はこっちのが重要だ」

俺は手元にある、グランが入ってくる前から見ていた書類をさした。

「それは……？」

「騎士選抜だ。新しい皇帝が即位する時は大々的にやるのが伝統だからな」

戦士の国だった時からの伝統だ。

戦士の国の皇帝はよく親征する、そして時には戦場で死ぬこともある。

皇帝が死ぬような事態は、その部下も大勢死んでるという事態でもある。

そのため、新しい皇帝のために新しい騎士を大量に選ばなくてはいけない——という時代から残された伝統だ。

それとは関係なく。

人は宝、そして可能性だ。

最大規模の騎士選抜を、適当に済ますわけにはいかない。

「夜よりも仕事優先なんて……さすが陛下」

「そういうわけだ、今夜はいい。それよりも濃いめの茶を淹《い》れてきてくれ」

「分かりました！」

ちなみに、望めば簀巻きにした妃をここに呼んで、「終わった後」に帰してそのまま政務を再開することも出来る。

父上は、それをよくやっていたらしい。

☆

数日後、王宮の中の大広間。

謁見の間とほとんど同じ造りで、真ん中の玉座だけ、通常の二階建てくらいの高さにある広間。

純粋に執務じゃなくて、権威を強調したい時に使う広間だ。

俺はゆっくりと玉座の階段を上っていき、一番上に辿《たど》り着き、振り向く。

同時に、ヘンリー、そしてオスカーを含む千人を超す人間が一斉に跪《ひざまず》いた。

一番前の二人から、まるで水面に広がった波紋の如《ごと》く、綺麗《きれい》に跪くのが広まっていく。

千人以上が揃って、一人に跪く。

胸にえも言われぬ高揚感が湧き上がる。

これが、貴族――いや。
皇帝にだけ許された楽しみだ。

69 皇帝の人気

書斎の中、机越しにオスカーと向き合っていた。

俺《おれ》は座ったまま、オスカーから渡された報告書と、その数字を見つめていた。

「意外に多いな、上皇陛下の年間予算は」

「はっ……」

宮内親王大臣のオスカーは微《かす》かにお辞儀して、いかにも言葉を選んでる風で答えた。

「上皇陛下はお妃が多いので、どうしても予算が嵩《かさ》んでしまわれます。それに、多いとは申しましても、かつてのロビー帝に比べれば十分の一程度でございます」

「そうか」

あれと比べれば誰《だれ》だって倹約家だ——とは思うが言わなかった。

ロビー帝というのは、帝国の前に地上を支配していた国の最後の皇帝で、酒池肉林と贅《ぜい》を尽くして国を傾けさせた男の名前だ。

「これを知ってどうなさるおつもりで?」

「余の予算は、上皇陛下の十分の一くらいで済みそうだな?」

質問には直接答えず、顔を上げてオスカーに聞く。

NOBLE REINCARNATION

どうだ？って感じの目線を送ると、オスカーはわずかだけ思案顔をしてから。

「おっしゃる通りかと。現在、陛下はお妃も少ない、それに伴って女官や宦官《かんがん》の規模も最低限で済みます。また……失礼ながら陛下のことを幼少の頃《ころ》から存じ上げておりますが、贅沢《ぜいたく》をするような方ではありません」

オスカーはそう言ってから、真《ま》っ直《す》ぐと俺を見つめて。

「従って、おっしゃる通り十分の一で適切かと」

「ん。オスカーを呼び出したのは他でもない。今後、これがむやみに増大せぬよう気を配ってほしい」

「それは……私の仕事のうちですが……」

何故《なぜ》？って顔をするオスカー。

俺は立ち上がって、オスカーに背中を向けて、背後にある窓から外を眺めた。

眼下に広がる帝都は、繁華の真っ只中にいた。

「余は、版図を拡大したい」

「――っ！」

背後からオスカーが息を呑《の》む気配が伝わってきた。

「つまりは侵略戦争だ。そのためには金がいる」

「……はい」

「皇帝が金を使うと、実際に使った分の十倍は民から徴収しなければならん」

金を使う時は人間が動く、動いた人間分の人件費がまず嵩む。

そしてこれはどの皇帝でもどうしようもないことなんだが、人間は大金を扱った時、どうしたって少しは懐《ふところ》に収めてしまいたくなるものだ。

皆がちょっとずつ、「端数分」を自分の懐に入れただけで、皇帝が動かす人間の数を考えれば、実際に使う金額の十倍に膨らむのが相場だ。

「使わない分、民の負担が減る。その分国力を保つ……あるいは育てることも出来る」

「さすがでございます」

俺は振り向き、オスカーを真っ直ぐ見る。

「いつか金を使う時がくる。その時のために、余のサイフをしっかり握っててくれ」

「御意《ぎょい》、お任せください」

オスカーは深々と一礼した後、書斎から出て行った。

オスカーは有能な男だ。

こうしてはっきりと方向性を示してやれば、まず間違えることはないだろう。

次は……と思っているところに、ドンが入ってきた。

俺が皇帝に即位した後、腹心として第四宰相に抜擢《ばってき》したドンは、アルメリアにいる時と変わらない動きをしてくれている。

彼は入室するなり、流れるような動きで膝《ひざ》をついて一礼してから。

「大変です、陛下」

「何があった」

「ジンベル地方の難民が都に流入しております」

「むっ。ジンベルって、干ばつで飢饉《ききん》にあったあそこか」

「はい」

ドンは頷《うなず》き、報告の書類を机の上に差し出してきた。

俺は座り直して、それを受け取って眺めた。

「大分流れ込んできたな。むぅ、治安も悪くなっているのか」

「はい。喧嘩《けんか》を始めとする、都の民との小さないざこざですが、件数は目に見えて増えております」

「……」

「つきましては、難民救助の炊き出しをまとめて、南の郊外にしてそっちに難民をひとまとめにしようと思うのですが、ご裁可を」

俺は少し考えてから。

「ジンベルの方はどうなってる」

「陛下のご命令通り、都から余剰食糧の運送、それを進めております。近日中にもリオンが輸送隊を率いて出発いたします」

「ん」

都から直接送るのは、さっきオスカーの時にもあった、皆が懐にちょっとずつ入れることからきている。

皆がちょっとずつ取って、最終的に一割、多くても三割の予算が現地で災害救助に使われればいい方だ。

そうならないためにも、「旨み」の少ない食糧をそのまま運ばせた。

旨みが少なければ、取られる分も減る――つまり民に行き渡る分が増えるということだ。

「それがどうかなさいましたか?」

「それ、難民にやらせてみるか?」

「…………は?」

ドンはまるで「なに言ったんだこいつは」って顔をした。

「えっと……どういうことなのでしょう」

「食糧の輸送を難民にやらせるって意味だ」

「……それは何を狙《ねら》っておいでおいでしょうか」

俺は真顔のままドンを見つめ返した。

「食糧の輸送、その人夫に報酬を払わなければならんな?」

「はい」

「それを難民にやらせるというのだ。報酬はそのまま食糧で現物支給だ。そうすれば――」

「――っ! 炊き出しでただ飯を食ってる難民の輸送費が節約できる」

ドンはハッとして俺を見つめた。

「そういうことだ。難民が都の民ともめてる理由は大まかに二つ。見知らぬ土地にいるのと、腹を空かせているのだ。難民に運ばせれば、都の治安が戻り、難民も減る」

「なるほど！」

「そして、だ」

「まだあるのですか⁉」

更に驚くドン、俺は微笑《ほほえ》み返しながら彼を見つめた。

「ああ、現地での分配も難民を使おう。同じ難民だ。今なら、故郷で苦しんでる仲間達のために、私腹を肥やす行為も少なくなるだろう。もっと言えば、被災地の状況をよく理解しているから、どこにどれくらい要るのかがよく分かるだろう。どうだ、やれそうか？」

「……はい」

ドンは少し考えて、はっきりと頷いた。

「持ち逃げする難民のことを計算に入れましても、普段より多く民に行き渡るはずかと」

「うむ」

「さすが陛下、このようなやり方、考えもしませんでした。まさに一石三鳥のすごい妙案です」

「難民とて人間。腹一杯にさえすればそこにあるのは労働力だ。というより」

「というより？」

「難民を放置して、暴動、反乱に発展した例は歴史に枚挙に暇《いとま》がない」

「確かに！」

難民はどうしたってゼロになることはない。

それを上手《うま》く扱える方法を、俺は長いスパンで考えていくことにした。

☆

夕方になって、俺は離宮を出て、メイドのゾーイを連れて、都の中をぶらぶらした。

丸一日働いた後、ちょっとリフレッシュしようと、レイド通りにあるキースの店に向かった。

アリーチェの歌を聴いて癒やされようというわけだ。

「あれ？　なんか人が凄いです」

レイド通りに入ると、そこはかつてないほどの賑《にぎ》わいを見せていた。

ゾーイが驚き、俺も眉《まゆ》をひそめるほどの賑わいっぷりだ。

そしてそれは、キースの店を中心に広がっている——キースの店が一番繁盛しているようだ。

店に近づくことも難しそうな状況に。

「どういうことなのか、ちょっと聞いてこい」

俺はゾーイに命令して、聞いてきてもらった。

ゾーイは小走りに向かっていって、周りの人に話を聞いて、戻ってきた。

「分かりましたへ——じゃなくてご主人様」

「ん」

「あの店に、女の人ばっかりが入ってて、超満員状態らしいです」

「なんでだ？」

「あの店が、皇帝陛下になる前の親王殿下の御贔屓《ごひいき》だってバレてるみたいです」

長年俺の下にいたゾーイは、この場のやりとりで、お忍びだとバレない言い回しが自然に出来た。

「で、ここに来れば、お忍びの皇帝陛下にあって、お眼鏡《めがね》かなってお妃様になれるかも！ってことで皆来てるみたいです」

「なるほどな」

「すごいですよご主人様、みんなハッとするほどの美人ばかりです。まるで美人の見本市です」

「ふむ」

悪い気はしない。

おそらくは――

「それにもっとすごいのがあります。この周りの宿屋は皆超満員、三倍の値段を出しても部屋は取れないみたいです」

都の民だけでなく、よそからも美女が俺狙いでここに来ているみたいだった。

書き下ろし短編1

ノアの方舟とアララート山

果てしない大海原を、一隻の方舟《はこぶね》が漂っていた。

人間の尺度でいえば、一万人が乗り込めるであろう、一つの街に匹敵《ひってき》する超巨大な方舟だ。

そんな方舟でも、大自然の前では、小船の如《ごと》くゆらゆらと波の上で漂うしかない。

それが一月も続いた大雨ならばなおのことだ。

方舟は漂流を続けた。

嵐《あらし》の様な大雨は、半年間にわたって、地上を蹂躙《じゅうりん》した。

永遠とも思える大嵐が去り、恵みの太陽が久々に顔を出す。

洪水は徐々に去っていき、方舟はとある山の上に泊まった。

方舟の横から扉が開いて、一人の青年が姿を見せた。

精悍《せいかん》な面持ち、左右違う色のオッドアイ、そして全身から発している力強いオーラ。

青年は洪水が引いた後の希望の大地を見つめて、決意の眼差《まなざ》しをしていた。

その青年の背後から、次々と方舟に乗っていた人達が降りてくる。

ほとんどが男女ペアの、夫婦となっている者達だ。

青年に率いられ、方舟に乗って洪水の厄災から免れた者達は、希望の大地に次々と降り立っていた。

☆

「……夢、か」

ゆっくりとまぶたを開けた老人は、低く渋い声でそう呟《つぶや》いた。

かつて地上全《すべ》ての権力を一身に集め、今でもほとんどの権威の象徴として君臨している。

帝国上皇その者だ。

「お目覚めでございますか」

一方、彼のそばに侍《はべ》って、昼寝をしている間もずっと小さなうちわで扇《あお》いでいた妙齢の女性。

新皇帝の母として、西の皇太后になった女だ。

皇帝や上皇と違い、皇太后は時として二人同時に存在する。

片方は上皇ないしは前皇帝の正室、元皇后だ。

そしてもう片方は、新皇帝の実の母である。

この場合、正室は東宮、皇帝の母は西宮とそれぞれ呼ばれ、同時に二人の皇太后が存在することとなる。

その西の皇太后、今なお上皇から最大級の寵愛《ちょうあい》を受けている女は、上皇と共に、宮殿の庭園、その東屋《あずまや》で春風と花の香りを享受していた。

皇太后は穏やかに微笑《ほほえ》みながら尋ねた。

「良い夢を見ていらっしゃったのですか？」

「分かるか」

上皇は体を起こし、目の前の女が差し出す冷たい茶を受け取って、口をつけた。

高級な茶葉で淹《い》れた、おそらく一口で庶民家庭の一日分の生活費に相当するそれを、上皇は惜しげもなく口をすすぐことだけに使った。

「いつもの夢だ」

「陛下の夢、でございますか？」

現皇帝、ノア一世。

実の息子であろうと、皇帝は皇帝。

皇太后は敬称で、恭《うやうや》しさを失わない口調で口にした。

「うむ、お前がノアを産む時に見たあの夢だ。もう、百回以上もみただろうか」

「たしか……未曾有《みぞう》の洪水に、陛下が方舟を作り、五千組の夫婦を連れて乗り込み、洪水の後の新天地に降り立った……とか」

「そうだ。半年の洪水の後に降りた場所がアララート山。最初に見たときは、夢らしい無軌道さに笑ったものだよ」

上皇は言葉通りフッ、と笑った。

そうなるのも宜《むべ》なるかなというものだ。

アララート山など、この地上に存在しない。

そもそもアララートは、帝国の皇族の名字なのだ。

それが山の名前になっているなど、なるほど夢だなと納得しつつ失笑するところだ。

しかし――

「いつしか、それが笑えなくなった。ノアの秘めた力に気づいてからは」

「まさに奇跡の力だと思います。心から付き従う配下を、そのままご自分の力にしてしまうなんて」

「最初に目覚めたのが水の力、というもの、今にして思えばお告げなのであったかもしれぬ」

「それに対してアルメリアを与えた陛下のご慧眼《けいがん》。陛下の御子として生まれたこともあわせて考えれば、もはや必然なのかもしれません」

「そうだな。そしてノアが成長していくにつれ、夢を見る頻度が上がった。余は確信した。この子は天から遣わされ、帝国を更に強くしていく子なのである、と」

上皇は感慨深げに空を見上げた。

かつては鷹《たか》の様に鋭いと言われた瞳《ひとみ》は、今なおその鋭さを失っていない。

が、鋭さの中に別の色が見えるようになった。

優れた為政者の多くはリアリストであるのとともにロマンチストでもある。

どちらかに偏っているわけではなく、どちらかを重視してるわけでもない。

優れた為政者は自然と、現実と理想の両方を知り、それでよきバランスを取ろうとするものだ。

理想に傾倒するのは論外だが、かといって現実だけを見ているのでもよくない。

どちらが優れているわけではない。

双方を取れるバランスの上で綱渡り出来るのが優れた為政者だ。

この男はかつて現実一辺倒だった。

しかしノアが生まれてからは、理想に夢を見ることも出来るようになった。

後世はノア一世を優れた皇帝だと評する一方で、ノアが生まれてからのこの男の晩年を黄金期のスタートとする声も多い。

ノアが生まれてから、彼の執政に大きな変化が起きて、それがノアの政治の下地になっているのだ。

「ノアは間違いなく、史書に名を残す皇帝になる」

「わたくしは、陛下がそれ以上に評価されるべきだと思ってます」

「余をか？　なぜか？」

「セムのことでございます」

「セム？　…………ああ、ノアの子か」

上皇は数秒ほど考えて、ようやくそのことを思い出せた。

「ありがとうございます」

「なにをだ？」

「陛下がおそらく、唯一名前を覚えているお孫だからです」

「ふははは、仕方あるまい。孫だけで百はくだらないのだからな」

上皇は豪快に笑った。

今なお現役である彼は、十四人の息子と二十六人の娘をもうけている。

子の多くはその血を受け継ぎ、同じように子だくさんだ。

その結果、孫の数が優に百人を超え、彼がほとんど名を覚えられない結果になった。

その中で唯一、ノアの子、セムの名は覚えている。

「そのセムがどうした」

「レベルの上限が100とお聞きしました。皇帝陛下ほどではありませんが、才覚のある子であると」

「うむ。さすがノアといったところだな」

「跡継ぎは孫で選ぶ、良い孫は三代の繁栄を、とお聞きしました」

「そのことか」

上皇は深く頷《うなず》いた。

それこそが、彼が理想と現実でバランスを取れているよき皇帝であったことの何よりもの証《あかし》だ。

晩年の彼は、後継者をほとんどノアに絞っていた。

それでも彼は待った、ノアに才能のある子が生まれるまで。

ノアだけではなく、その先の孫の世代までの帝国のことを考えたからこその決断だ。

「良いことを教えてやろう」

「なんでしょう?」

「ノアはそれを知っている。自分も将来それで選ぶ、と言っていたぞ」

「さすが陛下でございます」

皇太后は感動の眼差しで明後日の方角――ノアの離宮の方を見つめた。

まるで熟年の老夫婦のように、二人は庭園の中で、ノアの話に花を咲かせた。

☆

皮肉にも、二人はそれを見ることはなかった。

ノアは結局、帝国を預けてもいいと思える子に出会うことなく、実に六十年もの間在位を続けた。

結果的に、帝国に六十年間の黄金期をもたらすのだが、それはまた別の話である。

皇后とメイド

それは、ある意味ではありふれた日常の一景であった。

帝都のとある酒場。

普段から栄えているそこは、今は違う意味で盛り上がっていた。

人は酒を飲むと気が大きくなるもので、故に酒場ではケンカが絶えない。

今も、ちょっとした――傍《はた》から見ればどうでもいいような言い争いから、二人の男がとっくみあいのケンカをしていた。

「やれやれ！」

「種無し野郎なんかに負けてんじゃねえぞ」

周りからヤジが飛びかう、中にはとても聞くに堪えない、品のないものも混ざっていたりする。

しかしそれはある意味では端的に事実を表しているともいえる。

ケンカ中の片側は、男性器を切りおとして、後宮などで働いている宦官《かんがん》だ。

宦官は、貴族の血統の純潔さを万が一にも汚されない様にするということで、男性器を切りおとして、皇后や妃などと間違いを起こせなくさせた人種のことだ。

男性器を切りおとすと色んな特徴が目に見えて現れる。

体つきが普通の男よりも丸みを帯びたり、声が高くなったり、そもそも喉仏《のどぼとけ》がまるっきり見えなくなるなどがある。

故に、普通は服の下に隠されて見えない男性器の切除だが、傍から見ても一目で宦官だと分かる者が多い。

そういう者達に偏見を持つ者も多いことから、諍《いさか》いが日常的に起きているのだ。

今も、突き詰めれば宦官は言いがかりをつけられただけのことから起きたケンカだ。

酒場のケンカは、突き詰めれば素人《しろうと》のケンカだ。

最終的には泥臭いもみ合いになって、周りの客の良いショーになった。

そしてこの場合、酒場側の用心棒とか、腕っ節の強い店主とか、肝《きも》っ玉《たま》母ちゃんとかそういった者が出てきて、ケンカを治める。

今も、横幅が男二人分はある女主人が出てきて、もみ合う二人をひょいっと引き剝《は》がした。

「はいはい、そこまでにしな。これ以上やるなら叩《たた》き出すよ」

「うっせー、追い出すならこのたまなし野郎だけにしろよ」

「また言うのかい――」

「お前……俺《おれ》が何者なのか知っててケンカふっかけてるのか?」

引き離されてもまだ激高している男とは違って、宦官の方は低い、ドスの利いた声と憎悪渦巻く目で相手を睨《にら》んでいた。

「ああん?　どうせその辺の親王の――」

「俺の主は……ノア様だ」

「――なっ！」

男は絶句した。

周りもざわわした。

「ノア様って」

「十三親王様……」

「バカ！　皇帝陛下だよ！　もう！」

ざわつきが一瞬にして、さっきまでとは別ものに上書きされてしまった。

熱狂の観戦ムードから、全員が固唾《かたず》を呑《の》んで、成り行きを見守る事態になった。

「だ、だったらなんだってんだよ」

「本当にそう思ってんのか？」

「うっ……」

なけなしの抵抗も、宦官のダメ押しの脅しに押し潰《つぶ》されてしまった。

宦官自体に権力はない。

むしろ帝国法で権力を持つことを明確に禁じられているほどだ。

だが、そんなものに意味はないと誰《だれ》もが知っている。

なぜなら、宦官が相手をするのは貴婦人達ばかりだ。

そして、大抵の男は枕元《まくらもと》でのささやきに弱い。

貴婦人達も、自分達の世話をするために、男性器を切りおとした宦官達に「なんとなく」の同情を抱いている者も多い。

「宦官ってだけで苛《いじ》められた」

というのを日常でぼろっと嘆くだけで、風が吹いて桶屋《おけや》が儲《もう》かるが如《ごと》く何かが起こる。

それが皇帝の家――皇后の世話をしているであろう宦官ならなおさらだ――と、この場にいる誰《だれ》もが理解していた。

それは、ケンカを始めた男も例外ではなかった。

男は酔いがすっかり冷めて、その場で土下座した。

「す、すみませんでした」

「すみません、だあ?」

宦官は調子に乗った。

土下座する男の後頭部を踏みつけた。

後頭部から床に押し込まれた男は鼻が潰れ、鼻血がドバッと出たが。

「も、申し訳ありませんでした」

皇帝という、絶対権力者に繋《つな》がっているとあっては、鼻血などで謝罪を止《や》めるわけにはいかない。

男は鼻血を出したまま、更に謝った。

「どうか、どうかお許しください!!」

宦官が踏みつける力よりも強く、男は額を床にこすりつけた。

それは足を後頭部に乗せている当の宦官にも分かって、彼は、それで黒い愉悦に浸っていた。

☆

元十三親王邸――もうすぐ皇帝離宮になる屋敷に戻ってきた宦官を、数人のメイドが表で待ち構えていた。

メイドの中心にいるのはゾーイ。

今や皇帝ノアがもっとも信頼を寄せて、この屋敷の大半のことを任せているメイドだ。

その権力は、ともすれば第四宰相に匹敵《ひってき》するほどのものだ。

そんなゾーイが、冷たい目で宦官――サイを睨んでいた。

「サイ」

「な、なんですかゾーイさん」

「何か言うことは？」

「な、なにかって、なにが？」

「……」

ゾーイは無言でサイを睨みつけた。

それに気圧《けお》されて、サイはおずおずと話す。

「そ、そりゃケンカはしたけど、あんなの――」

「そのことじゃないわ」

「――え？　じゃ、じゃあなにが？」

「ケンカに、ご主人様――陛下の名前を持ち出しましたね」

「そ、それは…………………ッ」

直前までの良い気分がまとめて、酔いとともに吹っ飛んだ。

サイは今更ながら、自分のしたことの重大さに気づいた。

「貴族の家人が外で虎《とら》の威を借る。陛下がかねてから嫌っていらっしゃったことよ」

「ま、待ってくれ！　それは酔って――」

「陛下の名を無断で使って汚した、という事実に変わりはある？」

「うっ……」

ゾーイに喝破されるサイ。

ますます青ざめて、その場でへたり込んでしまった。

皇帝に即位したノアが、その類いのことを嫌っているのは、素面ならサイでもよく知っていることだ。

ノアは「貴族の義務」を誰よりも重んじていて、貴族が地位で庶民を圧迫することを嫌う。

自分でさえそうなのだ、ゾーイの言う「虎の威を借る」行為はもっと嫌いだ。

「ご、ごめんなさい！　もう、二度としません！」

「悪いけど、ありのまま陛下に報告するわ。私が独断で処分して良いことでは――」

「私が決めよう」

ゾーイの後ろ、屋敷の中から声とともに一人の貴婦人が現れた。

サイを更に青ざめさせてしまう彼女はオードリー。

皇后、オードリーだ。

「これは宦官がしでかしたこと、つまり内事。私が全権を以って処分する」

「かしこまりました」

「そこの」

オードリーはゾーイとともにいる、別のメイドに命じた。

「看板を作りなさい。そこの宦官がしでかしたことを明細に記し、その看板とともに、ホース通りに鎖をつけて七日間晒《さら》せ」

「かしこまりました」

メイド達がサイを連れていき、この場にオードリーとゾーイが残った。

ゾーイはしずしずと、オードリーに頭を下げた。

「申し訳ありません皇后陛下。陛下を煩《わずら》わせてしまって」

「かまわぬ。さっきも言ったが、これは内事。陛下の政《まつりごと》の邪魔にならないように私が処理するのが本分」

「はい」

ゾーイはもう一度頭を下げた。

そのゾーイを、オードリーはじっと見つめた。

頭を上げたゾーイはその目と目が合って、首を傾《かし》げてしまう。

「あの……陛下？」

「もったいない」

「え？」

「その情報の速さ、陛下仕込みというわけだな」

「はい」

「陛下にはいつもながら脱帽させられる。ただの村娘だったあなたをここまで育てあげるなんて」

「私は陛下のご恩を少しでも返せるようにと、出来ることを頑張っているだけです」

「……だからこそもったいない」

「はあ……」

オードリーが繰り返す「もったいない」を理解出来ずに、首を傾げたままのゾーイ。

「そこまで情報網を築き、使いこなせる者なら、陛下が『外』に出すのも時間の問題。それだけ出来る子だ、後宮に残しておきたかったのだけれど……」

「こ、光栄です……」

ゾーイは顔を赤くした。

皇后から最大級の賛辞を得ていることに気づいたのだ。

「気にやむことはない、しょうがないことだ。陛下の政治の方が大事なのだから」

「……」

ゾーイは無言で一揖《いちゆう》した。

口にこそ出せないが、ノアとオードリー。

似た者同士夫婦だと、彼女は思ったのだった。

あとがき

人は小説を書く、小説が書くのは人。


皆様初めまして、あるいはお久しぶり。

台湾人《たいわんじん》ライトノベル作家の三木《みき》なずなでございます。

この度は拙作『貴族転生～恵まれた生まれから最強の力を得る～』の第3巻を手に取って下さり誠にありがとうございます！


皆様のおかげで、第3巻を刊行することが出来ました。

第3巻です！　なんとなんとの第3巻なのです‼


もどかしくも当然の話なのですが、商業小説の続刊は売り上げ次第で決まります。

第2巻は時期的に期待値込みで製作されることもありますが、第3巻以降はそれまでの売り上げで判断されます。

故に、この第3巻をお届け出来たのは、100パーセントこれまでの巻を手に取って下さった皆様のおかげです。

改めて、伏して御礼申し上げます。

今回も、そんな皆様の期待に応《こた》えるべく、楽しんでお読みいただけるよう、これまでとまったく同じコンセプトで物語を作らせていただきました。


本作「貴族転生」とは——

貴族に転生した主人公がチート能力を手に入れる。

その能力で部下を集めて、部下の数だけ能力が上がっていく。

その上がった分の能力で更に——

という、エンドレスわらしべ長者な話です。


そのわらしべ長者が、今回一つの到達点を迎えました。

このあとがきから読んで、本文未読の方もいらっしゃるとは思いますので詳しくは語りませんが、誰《だれ》が読んでも一つの到達点であるという風にさせていただきました。

すぐに次が始まるタイプの「第一部完」としてもいいくらいです。


ですが、ノアの物語はこれで終わったわけではありません。

あくまで「一つの到達点」です。

これもまだ未読の方がいらっしゃるかとは思いますが、第3巻最後のエピソードで、ノアのサクセスストーリーはまだまだ続くということを宣言させていただきました。

この作品のコンセプトは、ノアがチートを振るって物事を解決して、愛され尊敬されちやほやされる物語です。

今後もそう続いていきますので、これからも是非安心して、ノアの物語を見守っていただければ幸いです。

更に、この本と同じ月に、コミカライズの第1巻が発売されていると思います。

本作のコミカライズはものすごいクオリティーとなっております。

正直業界最高峰のクオリティーと言っても過言ではありません。前世でよほど徳を積んだのだろうなと思ったくらいでした。

小説も自信を持って皆様にお出しするクオリティーになっておりますが、それでもコミカライズに比べるとまさしく「E＋SS」だと思います。

そんなSSなコミカライズ、そして加算してSSSとなった「貴族転生」を、今後ともよろしくお願い致します。

最後に謝辞《しゃじ》です。

イラスト担当のｋｙｏ様、今回もありがとうございます！

大人ノア、ものすごくかっこいいです!!

担当編集のＦ様、色々ととりまとめて下さい本当にありがとうございました！

第３巻の刊行の機会を与えて下さったＧＡノベル様。本当にありがとうございます！　感謝の言葉もありません！

本シリーズを手に取って下さった読者の皆様方、その方々に届けて下さった書店の皆様。

本書に携わった多くの方々に厚く御礼申し上げます。

次もまた、お手に届けられることを祈りつつ、筆を置かせていただきます。

二〇一九年十二月某日　なずな　拝

GAノベル

貴族転生3
～恵まれた生まれから最強の力を得る～

2020年4月30日　初版第一刷発行
2021年2月5日　第三刷発行

著者　三木なずな

発行人　小川 淳

発行所　SBクリエイティブ株式会社
〒106-0032　東京都港区六本木2-4-5
03-5549-1201　03-5549-1167(編集)

装丁　AFTERGLOW

印刷・製本　中央精版印刷株式会社

乱丁本、落丁本はお取り換えいたします。
本書の内容を無断で複製・複写・放送・データ配信などをすることは、
かたくお断りいたします。
定価はカバーに表示してあります。

©Nazuna Miki
ISBN978-4-8156-0546-9
Printed in Japan

ファンレター、作品のご感想をお待ちしております。

〒106-0032　東京都港区六本木 2-4-5
SBクリエイティブ株式会社
GA文庫編集部 気付

「三木なずな先生」係
「kyo先生」係

本書に関するご意見・ご感想は
下のQRコードよりお寄せください。
※アクセスの際に発生する通信費等はご負担ください。

https://ga.sbcr.jp/

極めた錬金術に、不可能はない。
～万能スキルで異世界無双～
著：進行諸島　画：fame

GAノベル

まだ極めるべきことがある──男は強い決意とともに究極の秘薬を手に取った。若返りの秘薬──記憶を維持したまま身体を若返らせる。だが、その薬が効果を発揮するには永い眠りを要した……。

──500年後。

その男、錬金術師マーゼンが目覚めたのは著しく変貌を遂げた世界だった。国家は消滅し、文明が進歩した様子は微塵もない。それどころか、人々は限られた属性しか有しておらず、基礎的な錬金術さえも失われてしまっていた。

そしてマーゼンの前に広がる謎の迷宮都市──。若さと活力を取り戻したマーゼンは未知の世界へと踏み出していく！　失われた知識でロストテクノロジーを駆使！　あらゆるものを作り出す万能にして最強の能力!!　極めた錬金術に不可能はない!!

育成スキルはもういらないと勇者パーティを解雇されたので、退職金がわりにもらった【領地】を強くしてみる2

著：黒おーじ　画：teffish

GAノベル

　領民から才能に優れた人材を発掘し新たな資源「魔鉱石」をも手にしたエイガはついに世界への進出を開始する。エイガが最初の遠征に選んだのはハーフェン・フェルト地方。そこは若かりし頃のエイガたちが飛躍のきっかけを摑んだ地でもあった。初めての遠征に浮き足立つ領地パーティだったがエイガには必勝の秘策があった――！

　一方その頃、かつての仲間たちである「奇跡の五人」も魔王級クエストを獲得し、ハーフェン・フェルト地方を目指していた……。

　新たな冒険と仲間たちとの邂逅――エイガをめぐる運命がさらに加速していく！　領地を率いるエイガは、さらなる夢へ向かって飛躍する!!

試読版は

こちら!

スライム倒して300年、知らないうちにレベルMAXになってました12

著：森田季節　画：紅緒

GAノベル

300年スライムを倒し続けていたら、ついに——UFOを見てしまいました！？

冷静に考えると、日常的に幽霊見てるし別に…と思うものの、娘たちが大騒ぎしているので凄いことなんだと思います。果たしてその正体は…！

他にも、お米を使った新しい料理を開発してみたり（DON！）、悪霊と心霊スポットに行ったり（何故私を誘うのか（涙）、賢スラの"仲間"を求めて大海原に出航したりします！

巻末には、ライカのはちゃめちゃ"学園バトル"「レッドドラゴン女学院」も収録でお届けです！！

試読版は

こちら!

魔女の旅々 12

著：白石定規　画：あずーる

GAノベル

あるところに一人の魔女がいました。名前はイレイナ。誰にも縛られず、何事にも囚われず、自由な一人旅の途中です。そんな彼女を待ち受ける個性あふれる人々とは……、エルフ狩りの一団と伴侶を求め彷徨うダークエルフたち。娘の笑顔を取り戻そうと奮闘している旅の富豪一行。潜入調査中の「炭の魔女」と妹。新たな故郷を探している姉妹。炎上商法を狙っている、ろくでなしな魔導士の女性。そして、とある村にやってきた若き退魔師の好青年――。

この出会いと事件はイレイナの日記になんと綴られるのでしょう？

「まあ私の手にかかればちょろいもんですよ」

2020年TVアニメ化決定、更なるイレイナの活躍にご期待ください!!

◆ 募集内容 ◆

広義のエンターテインメント小説（ファンタジー、ラブコメ、学園など）で、日本語で書かれた未発表のオリジナル作品を募集します。希望者全員に評価シートを送付します。

※入賞作は当社にて刊行いたします。詳しくは募集要項をご確認下さい。

応募の詳細はGA 文庫公式ホームページにて **https://ga.sbcr.jp/**